A hora é *agora!*

Desperte para os bons pensamentos e viva em paz

ZIBIA GASPARETTO

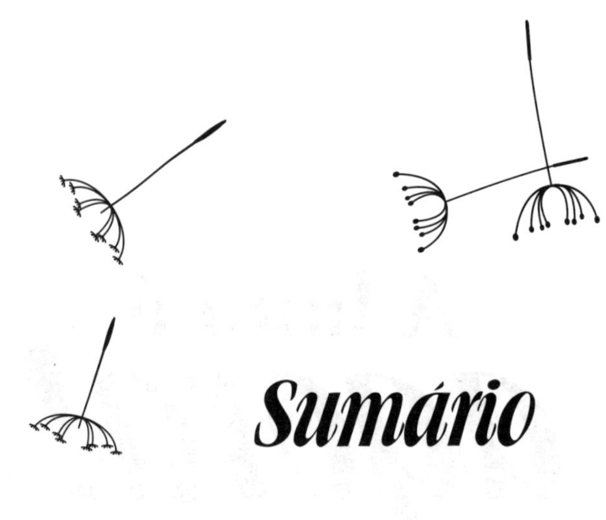

Sumário

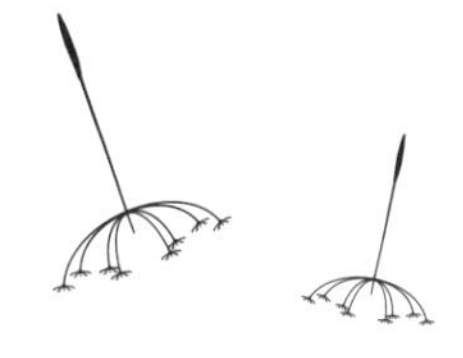

Coordenadora editorial: Tânia Lins
Assistente editorial: Mayara Silvestre Richard
Coordenador de comunicação: Marcio Lipari
Capa e projeto gráfico: Jaqueline Kir
Diagramação: Rafael Rojas
Preparadora: Cristina Peres
Revisão: Equipe Vida & Consciência

1ª edição — 25ª impressão
3.000 exemplares — março 2025
Tiragem total: 238.000 exemplares

CIP-Brasil — Catalogação na Publicação
(Sindicato Nacional dos Editores de Livros, RJ)

Gasparetto, Zibia,
A hora é agora / Zibia Gasparetto. 1. ed. — São Paulo:
Centro de Estudos Vida & Consciência, 2015.

ISBN 978-85-7722-425-8

1. Obras psicografadas. 2. Ficção espírita. I. Título.
15-20380 CDD-133.93

Este livro adota as regras do novo acordo ortográfico (2009).

Vida & Consciência Editora e Distribuidora Ltda.
Rua das Oiticicas, 75 — São Paulo — SP — Brasil
CEP 04206-001
editora@vidaeconsciencia.com.br
www.vidaeconsciencia.com.br

Apresentação

Quando minha sensibilidade se abriu de forma inesperada e eu tive a prova de que a vida continua depois da morte, comecei a estudar a espiritualidade. Essa certeza foi ficando cada vez mais forte e mudou completamente minha vida.

O espírito de Lucius compareceu e, além de ditar meu primeiro romance, ainda me acompanhou durante certo tempo, ensinando-me a perceber como as coisas realmente são. Sempre que ele se aproximava, além da sensação agradável que eu sentia, minha lucidez aumentava enquanto Lucius me assessorava.

Nos últimos sessenta e seis anos, ele continua ditando as histórias dos nossos romances, afirmando que todas foram verdadeiras. Durante esse processo, eu também sentia muitas vezes o reflexo emocional dos personagens, me comovia, e ao escrever algo mais trágico, sentia vontade de impedir que alguém sofresse, mas as coisas aconteciam e eu percebia que era apenas uma espectadora daquele drama.

Quando olho para trás, percebo o quanto aprendi com essa experiência. Minha forma de olhar o mundo, as pessoas e a vida mudou completamente. Hoje reconheço que reencarnar na Terra é um privilégio e, como me foi dado o poder da escolha, sou responsável por tudo que me acontece.

Como a vida é funcional e só trabalha por mérito, sou livre para escolher como quero viver, mas a vida responde às minhas escolhas.

Hoje sei que o sofrimento é opcional e que cada um está onde se põe. Tudo muda o tempo todo e assim vamos experimentando coisas novas, modificando nossa forma de ver e aprendendo mais. Aceitar as mudanças abre novos caminhos e favorece o progresso. Há uma felicidade real e possível nesta vida para quem enfrenta as verdades dos fatos, se apoia, fica no bem e colabora com a melhoria social de alguma forma.

Por esse motivo continuo aqui, estudando a espiritualidade a cada dia. E quanto mais estudo, mais a vida se abre mostrando que nossa alma é divina, porque Deus mora dentro de nosso peito, respondendo nossos questionamentos e inspirando bons pensamentos. Mas, para essa conquista, é preciso ter a coragem de se ver e começar a mudar para melhor.

A hora da mudança é agora!

Zibia Gasparetto

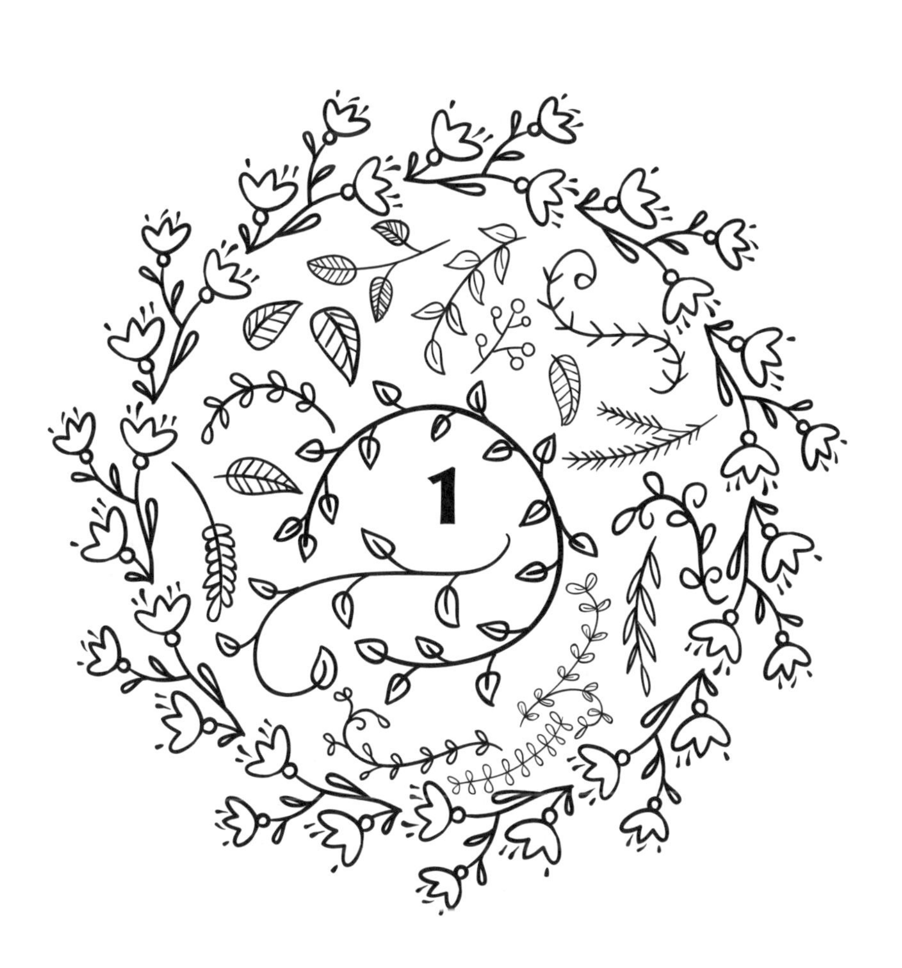
1

Você está onde se põe

A vida é uma dádiva divina, mas viver bem é da responsabilidade de cada um. Você está onde se põe, é livre para escolher como quer viver.

Você quer prosperar, ser feliz. Não deseja sofrer, errar e tudo que faz é com a intenção de alcançar esse objetivo.

Se você conseguiu, parabéns. É sinal de que apertou o botão certo. Mas se sua vida está travada, nada deslancha, e se, o que é pior, está cheia de problemas, é hora de rever suas crenças, porque são elas que determinam suas atitudes e atraem os fatos que a infelicitam.

Os outros não são responsáveis pela sua infelicidade, como você pensa. Quando você se aproxima das pessoas, suas energias as envolvem provocando suas reações. Quando conversa com alguém, já sentiu vontade de ir embora ou de ficar mais? É o reflexo da troca energética.

A situação, o governo, as leis estão funcionando para todos. Então, por que alguns progridem, vão bem e outros vão mal?

Acredite, suas atitudes estão atraindo todos os fatos de sua vida. As coisas boas que deseja conquistar estão a seu alcance, mas precisa encontrar o caminho.

Para abrir essa porta, é preciso ouvir o coração. É o sentir que reflete os anseios do seu espírito, revela seu lado verdadeiro e quais atitudes lhe trariam felicidade.

Viaje pelo seu mundo interior, sem julgamento, livre. Descubra suas qualidades, as legítimas aspirações de sua alma, e faça dessa verdade seu objetivo maior.

Firme o propósito de nunca mais ir contra seus sentimentos. Que o sim e o não expressem só o que sente. Não tenha medo de desagradar os outros. Quando você se respeitar, será respeitada.

Nessa análise, verá também seus pontos fracos. Não se julgue menos por isso. Todos nós temos qualidades e defeitos, e os desafios que a vida coloca em nosso caminho aparecem para nos ajudar a vencê-los.

Seja paciente. Nossos pontos fracos refletem a nossa ignorância. À medida que nos ligamos mais ao nosso espírito, que é essência divina, vamos desenvolvendo nossa consciência e aprendendo os verdadeiros valores espirituais que regem a vida.

A fé é a claridade da certeza. É livre dos

preconceitos da religião e une a criatura ao criador, independe de intermediários. Os dogmas religiosos alimentam as dúvidas. Se você deseja conquistar essa certeza, questione suas dúvidas, investigue as revelações divinas, busque provas de que a vida continua depois da morte, de que seu espírito é eterno, de que há uma fonte divina que nos criou e governa, com amor e sabedoria. Jogue fora o sagrado e busque a verdade. Ela transformará sua vida para melhor!

2

O mundo precisa de paz

O mundo está precisando de paz. Apesar disso, as guerras se repetem, o ódio continua existindo entre os povos, que brigam alegando estar em busca da paz.

A semente da violência tem sido plantada, usando a paz como referência. Se a paz tivesse sido alcançada, a justificativa seria válida, mas até hoje essa conquista continua distante.

Uma guerra cria situações dramáticas, de risco, de tensão, e esse estado aciona a criatividade na busca de coisas novas que possam enfrentar esses desafios, restabelecer a ordem e a paz. Depois de uma guerra, há um surto de progresso, a ciência evolui, os conceitos sociais mudam. Isso é um fato.

Contudo, a paz conquistada é só aparente. Os que venceram brigam entre si pelo poder, os que perderam começam a tramar em busca da revanche.

Violência atrai violência. Quem é guerreiro atrai a guerra. A crença de que a violência pode resolver os problemas tem iludido e infelicitado muitas pessoas.

Você é uma delas? Não aguenta uma crítica, se ofende com tudo, fica procurando um jeito de revidar? Olha sempre o lado negativo das pessoas, teme ser enganado, vive prevenido, pronto para se defender? É radical em suas atitudes? Fica, durante anos, remoendo coisas que o ofenderam, sentindo a mesma revolta, não quer nem ouvir falar em perdão, prefere resolver seus desafios na briga?

Cuidado! Com essa atitude você está vulnerável, é candidato à invasão de sua casa, de sua vida e de seus bens por pessoas violentas. Você tem escolhido a guerra e, embora se diga amante da paz, suas atitudes estão dizendo à vida que você é violento. Os fatos do dia a dia que lhe acontecem são resultado das suas escolhas. Se continuar a plantar violência, ela se manifestará em sua vida.

A violência é fruto do orgulho, uma ilusão que a vida vai destruir. Não se deixe envolver por ela. Você não precisa que os outros o valorizem para se sentir importante. VOCÊ É A PESSOA MAIS IMPORTANTE PARA VOCÊ!

Não dê importância ao que os outros pensam. Cuide de você, melhore seus conhecimentos, aceite as diferenças. Você não é o dono da verdade, pode errar, tentar se corrigir e seguir adiante. Dê aos outros essa mesma oportunidade. Cada um é como consegue ser.

Diga não à violência, construa para si uma paz duradoura, que lhe ofereça momentos de alegria e prazer, usufrua da vida. Você merece! Seja um eficiente distribuidor de energias de paz.

Quando a maioria das pessoas entender isso, as guerras acabarão, a paz será uma conquista definitiva, reinará nos corações dos homens, trazendo muito mais progresso e luz. Vamos trabalhar pela paz!

3

Tudo tem prazo de validade

A sua segurança está na mudança. Você não acredita? Sente-se seguro na sua rotina, procura mantê-la aconteça o que acontecer?

Só que a vida trabalha em função do progresso, comanda a transformação, nada fica parado. Para alcançar o progresso, muda situações, traz novos desafios. Tudo tem prazo de validade. Quando esse prazo termina, as mudanças ocorrem independentemente da vontade de cada um. Aceitar o novo, usar a inteligência para aprender, facilita o processo. Resistir atrai problemas cuja gravidade é relativa à força dessa resistência.

Muitas pessoas vivem em um mundo de fantasias, sem o mínimo senso da realidade. Passam pela vida entre a frustração e a revolta, sem foco de direção, alheias ao que acontece ao seu redor. Ignoram a verdade, ficam inseguras.

Conseguir um lugar para morar, uma família, um trabalho que cubra suas despesas é só o que ambicionam. Uma vez alcançado esse objetivo, mesmo que a casa seja pobre, a família complicada, o emprego insatisfatório, é preciso dar-se por satisfeito: "Há pessoas que nem isso têm!".

Ficam paradas no tempo, com medo de ousar e procurar algo melhor. Ignoram a verdade do seu espírito. Não se conhecem intimamente, se veem através da cultura de uma sociedade que valoriza as aparências, faz concessões a líderes que são hábeis para dominar e manipular as massas, aceitam que tudo pode ser feito desde que ninguém saiba e não as afete.

Não é para viver dessa forma que você está aqui. Ao nascer, você trouxe um projeto divino para sua vida e é sua responsabilidade executá-lo. Seu espírito é eterno e vai ficar aqui por um tempo determinado, findo o qual voltará para seu lugar de origem. É você quem escolhe fazer esta vida pior ou melhor.

Mas a vida não joga para perder e aposta em seu sucesso. Colocou dentro de você todas as condições, mas você terá de aprender a utilizá-las.

Comece por controlar seu negativismo. Sempre que surgir um pensamento ruim, não lhe dê importância para que ele desapareça (importar significa colocar para dentro).

Sinta o que vai em seu coração. Imagine que sua vida é maravilhosa, pense alto, não seja pobre, você merece o melhor. Sinta sua vocação e qual trabalho lhe daria prazer. Afirme várias vezes que está aberto para mudar o que for preciso. Os pensamentos antigos vão insistir, substitua-os pelas afirmações positivas.

Insista no processo e logo as coisas boas começarão a aparecer. Confie na vida e não tenha medo de ousar. As primeiras vitórias vão motivá-lo a continuar. Experimente e verá.

4

Sintomas da mediunidade

Quais são os sintomas da mediunidade? Vejamos:

Se você é instável e emocionalmente vai da euforia à depressão sem causa aparente; sente dores pelo corpo que se manifestam ora em um lugar ora em outro sem motivo aparente; tem sintomas de doenças, queda de pressão, falta de ar, arrepios; sai de casa bem e, ao entrar em algum lugar, sente-se indisposto, com vontade de sair correndo ou de dormir; tem facilidade de ser amável com algumas pessoas e com outras você quer brigar; sente medo, insatisfação, não dorme direito, vai ao médico e ele não encontra nenhuma doença e diz que você está estressado; tem pensamentos estranhos, sente inchaço nas mãos, na cabeça, dormência nos membros; sonha que está voando, caindo ou vê seu corpo na cama...

Se um pouco de tudo isso estiver acontecendo com você, é hora de descobrir que sua sensibilidade está se abrindo. Que você tem mediunidade.

Abrir a sensibilidade é caminhar para a maturidade espiritual. Claro que, se você fosse equilibrado emocionalmente, seria uma maravilha. Só captaria as energias dos iluminados, das coisas boas e se sentiria muito bem, mas, se você der força a seus pontos fracos, se ligará a espíritos perturbados, pela lei universal de sintonia.

Cada pessoa é bombardeada por toda sorte de energias: as formas-pensamento das pessoas, a mente social, os espíritos dos que já morreram e que ainda perambulam pela Terra. Somando-se a tudo isso nossas crenças, nossas ilusões e nossas necessidades, teremos o quadro de nossa situação real. A mediunidade não é responsável pelo que sentimos, apenas revela os pontos que precisamos equilibrar.

Toda dependência é sinal de imaturidade e fraqueza. Você está aqui para desenvolver seus potenciais, cooperar com a vida, evoluir. Se você assume a responsabilidade pelos seus atos, a vida o apoia. Se você nega sua força, julga-se incapaz, se paralisa, a vida lhe enviará maiores desafios para fazê-lo reagir e seguir adiante. Evoluir é fatal!

A mediunidade pode lhe proporcionar momentos de extrema felicidade. A ligação com as forças sublimes da vida ampliará sua visão e lhe abrirá as portas da eternidade. Você sobreviverá à morte do corpo, irá viver em outras dimensões e saberá que a separação com nossos entes queridos é temporária. Eles estarão à nossa espera quando fizermos nossa viagem. Viver essa extraordinária experiência é sensacional! Conforta, simplifica e faz perder o medo de viver! Como a vida trabalha por mérito, você terá de começar desde agora a fazer a parte que lhe cabe. Você pode viver melhor desde já.

5

Você é livre para escolher

Você vai a uma festa ou a um jantar muito animado e lá, de repente, começa a sentir-se deprimido, desanimado, sufocado, com vontade de sair correndo daquele lugar?

Estando em casa ou no trabalho, do nada e sem motivo aparente, você sente frio, arrepios, enjoo, falta de ar, dores no corpo, atordoamento, sensação de desmaio?

Minha experiência tem demonstrado que esses sintomas são provocados por conexão com energias pesadas que estão à nossa volta, provenientes de formas-pensamento de pessoas, ou espíritos desencarnados desequilibrados.

Essa conexão tem várias causas e, conforme o teor de seus pensamentos e atitudes, você se torna vulnerável a elas. Por esse motivo, é fundamental manter a atenção sobre o que vai em seu mundo interior, se quiser evitar essa desagradável situação.

Hoje em dia, os médicos, os cientistas em geral, ensinam que, para ter longevidade e saúde, é necessário manter o otimismo, cultivar a alegria, ficar de bem com a vida.

A agitação do mundo moderno, o ritmo vertiginoso em que nos envolvemos, nos faz correr de um lado a outro para cumprir as obrigações que nos impusemos. Mergulhados no círculo vicioso entre o trabalho e o consumismo, esquecemos de satisfazer as necessidades básicas do nosso espírito. Nós estamos aqui para desenvolver a consciência, conquistar a lucidez e saber o que fazer para conquistar a felicidade.

Você já sabe o que o faria feliz? Já descobriu como ficar alegre? Está fazendo alguma coisa nesse sentido? Sempre que faço essas perguntas recebo respostas evasivas. As pessoas estão perdidas, não têm foco nem rumo.

Mas a verdade é que você é inteiramente responsável por tudo quanto acontece em sua vida. É livre para fazer suas escolhas e são elas que determinam os resultados que colherá mais à frente.

Como é que você vai conduzir sua vida se não sabe para onde vai? Sem controlar seu mundo interior, você está à mercê das energias descontroladas ao redor. É como uma folha levada pelas intempéries ao sabor do vento.

Vivendo na Terra, é importante trabalhar, manter a família, mas sem deixar de atender às necessidades de sua alma, que precisa abrir os olhos a uma verdade que vai além das transitórias necessidades da vida física.

Acreditar no invisível, buscar conhecimento sobre as leis perfeitas que regem a vida e viver a ética espiritual lhe garantem a proteção divina. Entrar no seu mundo íntimo, sentir sua vocação e focar seus objetivos nela vai dar outro rumo à sua vida, fazendo-o conquistar realização, progresso e paz.

6

Mensagens esclarecedoras

Muitas vezes, em meus momentos de meditação, recebo inspiração de alguns espíritos amigos que passam mensagens esclarecedoras, com a finalidade de mostrar como a vida responde às nossas escolhas. Dessa forma tentam abrir nosso entendimento para aquilo que funciona, estimulando-nos a amadurecer com inteligência em vez de precisar ir pela dor.

São mensagens que nos fazem pensar e despertam nossa atenção, fazendo-nos analisar nossa forma de ver a vida. É ela quem determina nossas escolhas.

Grupos que dominaram a sociedade impuseram pela força regras que serviam a seus interesses e que acabaram sendo vistas como verdadeiras. Essas falsas crenças provocaram guerras e sofrimentos. É hora de acordar e conquistar uma vida melhor.

O mundo mudou, evoluiu e a tecnologia trouxe conforto, saúde, bem-estar. Mas a ilusão obscurece a visão, e a inversão de valores, a crença de que a violência soluciona, a ânsia de poder fazem com que o sofrimento, resultado de escolhas equivocadas, permaneça infelicitando as pessoas, como nos primeiros tempos.

A vida trabalha sempre em favor da nossa evolução e faz o melhor. Dentro de nós há tudo de que precisamos para amadurecer, mas temos de fazer a parte que nos cabe. A elevação do nosso espírito é nossa responsabilidade. À medida que aprendemos vamos conquistando nosso progresso. Ninguém pode fazer isso por nós.

Os espíritos de luz tentam abrir nossos olhos, enviando-nos mensagens que nos fazem refletir e acabar com as falsas crenças que nos infelicitam. Eis algumas delas:

— valorizar as coisas boas que você já tem faz com que elas se solidifiquem;

— agir a favor da vida é tornar-se mais forte;

— se você cuidar bem de si mesmo, estará cumprindo a sua missão e o mundo ficará melhor;

— escolher o bem é estar no seu melhor;

— na vida, há momentos de refletir, de ir em frente, de ousar, de parar, não fazer nada e deixar a vida fazer porque ela sempre faz o melhor.

Outra:

TRABALHANDO A FAVOR DA VIDA

1. valorize a verdade;

2. por mais bela que pareça a ilusão, sempre acaba na desilusão;

3. nunca force as coisas quando a vida não quer;
4. valorize seu tempo, porque na Terra ele é limitado;
5. respeite sua individualidade não permitindo nenhuma invasão;
6. tudo funciona melhor com inteligência;
7. não espere nada dos outros;
8. tudo deslancha fácil quando a vida quer;
9. aprenda a ler os sinais da vida se deseja ter segurança;
10. na dúvida, pergunte a ela o que fazer e espere. A vida sempre responde.

Cumprir esses quesitos pode parecer difícil, mas se os fizer e perseverar, descobrirá como tudo ficou mais fácil.

7

Por que nada dá certo?

Há muitas pessoas que me escrevem reclamando, dizendo que nada para elas dá certo. Perdem-se na queixa sem perceber que estão se vendo como vítimas, incompetentes para comandar a própria vida.

Por que não experimentam fazer o oposto? É uma resposta óbvia. Se as coisas dão errado é porque não apertaram o botão certo para conseguir sucesso. Que tal aprenderem a ser mais positivas?

— Como posso ser positiva se tudo está ruim? — estão pensando isso, não é mesmo?

Quem age assim tem a mente cheia de falsas crenças aprendidas. Essas crenças colocam as pessoas dentro de um círculo vicioso em que se veem sem condições de sair.

Dessa forma estão sem controle, vivem ao sabor do que os outros determinam, atraem sempre o pior. Suas energias são depressivas. Além de infelicitá-las, fazem com que não sejam valorizadas pelos outros. Esse é um estado de auto-hipnose que aprisiona, provoca e alimenta uma grande ilusão.

A vida trabalha e se movimenta em favor da evolução espiritual. Quando alguém entra na fantasia, ela atua de forma a mostrar-lhe a realidade. E o faz respondendo às atitudes de cada um. São os resultados de suas escolhas que lhe mostram o seu desempenho.

É simples e claro. Se as coisas não vão bem como você gostaria, é preciso mudar o procedimento, assumir que a causa do que lhe acontece está em você, na maneira como se vê. Reconheça que você é a pessoa mais importante em sua vida. Confie que tem discernimento para tomar decisões. Você merece o melhor. E o melhor é ter tudo de bom que a vida oferece.

Imagine como gostaria que sua vida fosse, as coisas que gostaria de fazer. Pense grande. Não acredite em limites. Você pode obter tudo. Só precisa se esforçar para achar o caminho. Não tenha pressa, você tem toda a eternidade pela frente. O importante é começar.

O primeiro passo é sentir sua vocação. Ela garante o sucesso profissional. Sem motivação não há realização. Se não está satisfeito com seu trabalho, não hesite em mudar e fazer o que seu coração quer, mesmo que tenha de recomeçar a estudar. Persevere e vai conseguir.

Valorize-se. Não faça nada que não tenha

vontade. Aprenda o valor do sim e do não. Respeite seus sentimentos. Quando você se coloca com sinceridade, as pessoas entendem. Logo descobrirá que, ao contrário do que imaginava, essa atitude fará com que seja mais valorizado e respeitado pelos outros.

Conhecer-se melhor o fará perceber suas qualidades e, à medida que as coisas começarem a dar certo, se sentirá mais forte para continuar. Não espere mais. Comece agora a ficar do seu lado e a trabalhar a seu favor.

8

É possível ser feliz?

Muito se tem falado sobre a conquista da felicidade e, em meio aos muitos desafios do dia a dia, você se pergunta: "Posso ser feliz?". Se for otimista, pode chegar a descobrir que tem sido mais feliz do que supunha. A felicidade é feita de momentos alegres quando a consciência está presente.

Viver no presente é condição indispensável para aproveitar todos os momentos felizes.

Como na canção de Ataulfo Alves, quando você diz: "Eu era feliz e não sabia", está reconhecendo que tem vivido fora da realidade. Mas a vida continua e você não pode voltar no tempo e recuperar o que perdeu.

Em vez de se lamentar, você pode abrir sua mente para aprender a valorizar o presente e, daqui para a frente, aproveitar os bons momentos que tiver.

Nem sempre é fácil deixar o passado passar. Sempre que temos de tomar decisões, o fazemos impulsionados pelas experiências do passado. A pretexto de nos proteger, damos mais importância ao que deu errado, imaginando o pior. O medo alimenta a ansiedade, nos leva para o futuro, dificultando o entendimento da solução.

Nesse círculo vicioso de ilusão, podemos permanecer largo tempo, nos pressionando, paralisados pelo medo, cultivando a infelicidade.

Se você se sente assim, é hora de acordar, reagir e aprender a viver no presente. É preciso deixar de dar importância ao mal, tornando-se otimista.

Ao ter que tomar uma decisão, se surgir um pensamento negativo, mande-o embora. Pense que agora você está mais preparado para examinar melhor a situação e encontrar uma boa solução. Procure olhar a questão por vários lados, esperando o melhor.

Os pensamentos negativos estão automatizados em seu subconsciente e poderão reaparecer, mas se você não se intimidar e insistir no positivo, perderão a força e, de repente, ficará claro o melhor a ser feito.

Será muito gratificante colher o bom resultado dessa atitude, e, à medida que for colhendo novas vitórias, irá fortalecendo a confiança em si mesmo.

Deixar o passado ir embora, jogar fora a ansiedade e acreditar que o futuro será melhor torna o presente mais consciente. Você toma posse de si, confia, sente que pode escolher melhor a cada dia. Ao errar, não se condene, mas procure aprender o que o erro quer lhe ensinar. Viver no presente faz com que não crie demasiada expectativa com relação a coisas e pessoas, traz bom senso.

Sinta que a felicidade está nas pequenas coisas do dia a dia, na troca de afeto, no respeito, na valorização dos seus sentimentos. Acredite que seu espírito é eterno e está aqui para aprender a valorizar a vida e ser feliz.

9

Dificuldade em tomar decisões

Este texto é para você que é tímido, tem dificuldade de tomar decisões, vive pedindo opiniões para os outros nas mínimas coisas. Muitas pessoas adoram dar "conselhos", o que fazem mesmo sem serem solicitadas, e com prazer vão colocando suas opiniões.

Se consultar várias pessoas, poderá ficar ainda mais indeciso, porque cada uma tem seu modo de ver, sua experiência de vida. O nível de conhecimento varia, sendo que não há duas pessoas iguais.

Olhe em volta e perceba quantas pessoas vivem completamente fora da realidade. Cultivando fantasias, vão da depressão à euforia, ora julgando-se incapazes ora sonhando com coisas fora de suas possibilidades. São ansiosas. Não querem ver o presente porque temem assumir a responsabilidade de conduzir a própria vida, mas vivem esperando tudo do futuro sem que façam o que é preciso para conseguir o que desejam.

Você está sentado em cima de um tesouro e continua na miséria. É triste porque, enquanto não enxergar que o poder de conquistar uma vida melhor está em suas mãos, continuará nessa situação.

Quando você não decide e espera que os outros digam o que deve fazer, está se anulando e transferindo todo o seu poder aos outros. Atrás dessa atitude há a ideia de que você é incapaz e eles sabem muito mais. Há o medo de errar e a vontade de dividir a responsabilidade.

A vaidade é tão forte que, ao menor deslize, você se critica, se agride e a dor é muito grande, faz sofrer tanto, que você prefere omitir-se e deixar que os outros decidam sua vida.

Você se abandonou, transferiu seu poder a outros. Deve estar sentindo um vazio no peito e uma tristeza muito grande.

Reaja. Assuma sua vida. Retome seu poder. Aprenda a lidar com você e não tenha medo de errar. Ninguém consegue amadurecer sem errar. Os erros ensinam mais que os acertos.

Não se critique. Fique do seu lado. Cuide de você com amor.

10

Carnaval

Certa vez, no meu programa semanal na rádio, uma ouvinte me perguntou se o carnaval é mesmo coisa do diabo...

É incrível que, nos dias de hoje, ainda há quem acredite que o mundo se divide entre o bem e o mal. A velha figura do diabo com seu aspecto assustador, nos empurrando para a maldade, continua no imaginário popular a assombrar pessoas e a justificar as atitudes humanas.

Culpar o diabo divide a responsabilidade, alivia nossa sensação de culpa sempre que escorregamos em alguma maldade. Imaginar que estamos sendo vitimados por um ser cujo poder é irresistível, nos coloca na cômoda posição de vítima e atrai a simpatia dos outros.

Quem acredita no poder do mal está dando ao diabo um poder igual ao de Deus. Essa crença foi implantada em nossa cultura pelas religiões, para manipular o povo.

É hora de sair dessa ilusão e olhar as coisas como elas são. Ao nos criar ignorando as leis da vida, mas tendo livre-arbítrio, Deus nos deu a dignidade de conquistar a sabedoria através do merecimento. É o que estamos fazendo na Terra.

A manifestação do mal é fruto da nossa ignorância. Todos queremos fazer o melhor, sobressair, brilhar, mas, em nossa visão precária, temos escolhas equivocadas, colhemos maus resultados, sofremos. Mas com eles ganhamos experiência. Entre erros e acertos, vamos conquistando sabedoria e aprendendo a viver.

Apesar de tudo, é bom ficar atento ao que acontece em seu mundo interior com o diabinho insistente que mora dentro de você e faz tudo para empurrá-lo para baixo. Ele se alimenta de todas as mágoas, frustrações, decepções do passado a que você deu importância e da sua falta de confiança em si. A pretexto de prevenir, olha tudo pelo lado pior, faz drama, exagera situações, o paralisa pelo medo.

Defenda-se desse diabinho insistente, reaja aos seus pensamentos negativos. Recuse-se a alimentá-lo. Liberte-se dele definitivamente. Lembre-se de que o mal é fruto do que você ainda ignora, não se culpe. Quando cometer um erro, procure entender a lição que ele contém. Esqueça o mal, só o bem é real.

Ligue-se com seu espírito e sinta o que é importante em sua vida agora. Fale com Deus sobre seus projetos de sucesso, peça inspiração divina. Seja otimista.

O carnaval é uma festa do povo. Você pode participar sem medo, divertir-se, expressar sua alegria. Afinal, você já se libertou do seu diabinho interior e está pronto para agir com bom senso e aproveitar a festa com tudo que tem direito.

Se prefere relaxar em um lugar sossegado, deixar-se ficar sem fazer nada, ler um bom livro, também é bom. Aproveite o momento e bom carnaval!

11

Solidão

Algumas pessoas, mesmo vivendo com a família, estando rodeadas de amigos, queixam-se de solidão. Sentem um buraco dentro do peito, uma sensação de vazio que procuram preencher de várias formas, sem conseguir.

Tentando esquecer a tristeza, há quem mergulhe no excesso de trabalho, em uma vida desregrada e até nos vícios. Vale tudo para fugir dessa dor. Há ainda os que fantasiam um relacionamento afetivo que venha a preencher todas as suas carências e seja a solução.

Nada disso vai funcionar. A causa do sentimento de abandono e a sensação de solidão que você sente está localizada dentro de você e não nas coisas exteriores. Os outros, mesmo que desejem, não têm como resolver esse problema que é causado pela sua maneira de se ver e perceber a vida.

Você deve estar vivendo valorizando mais os condicionamentos do mundo exterior e ignorando os anseios do seu espírito. Ele é a força viva que alimenta seu corpo físico e emocional, sabe como preencher todas as suas necessidades para lhe proporcionar uma vida boa e produtiva.

Não permitindo que seu espírito se expresse, exerça seu poder e realize suas funções, você está cada dia mais enfraquecida, sem vitalidade, sem alegria, criando um campo energético que pode atrair doenças. Note que, quando o espírito vai embora, o corpo se desfaz. A força da vida é do seu espírito.

Você sente solidão porque se abandonou. Para reverter a situação, precisa mudar sua atitude para descobrir quais são as prioridades do seu espírito.

O primeiro passo será aprender a controlar a sua mente. Ela reflete os condicionamentos aprendidos na sociedade que, em grande parte, não são verdadeiros. Vou repetir o que já tenho mencionado: as falsas crenças aprendidas distorcem a realidade e nos fazem agir de maneira equivocada, provocando resultados ruins.

Esses condicionamentos são fortes e, mesmo que você queira libertar-se deles, vão aparecer de novo. Sempre que isso ocorrer, não lhes dê importância. Mude o foco para algo melhor e com o tempo acabarão desaparecendo.

A viagem do autoconhecimento liberta e abre os caminhos do progresso. Para começar, vá a um lugar sossegado, feche os olhos e imagine que está entrando no seu coração. Sinta as emoções que estão lá. Não tenha medo de assumir o que sente.

Quando você se coloca assumindo seus verdadeiros sentimentos, permite que seu espírito se expresse. Então todo seu carisma vai se manifestar. Seu espírito é luz, vida, inteligência, beleza. Fique consciente dessa realidade e aproveite a oportunidade que você tem de estar aqui, fazer a sua luz brilhar!

12

Fenômenos mediúnicos

Conhecimento nunca é demais e, a cada dia, aprendo um pouco mais sobre as leis divinas que controlam a vida.

Há muitos anos venho pesquisando os fenômenos mediúnicos e a nossa relação com os seres que vivem em outras dimensões do Universo. Dessa forma obtive a certeza de que se trata de um fato natural, que tem acontecido desde o início da nossa civilização.

Embora as religiões tenham se interessado por esse assunto e cada uma manifeste sua opinião a respeito, esses fatos são próprios dos seres humanos e independem de qualquer religião. Há vários fatores que concorrem para abrir a sensibilidade: uma doença grave, a perda de um ente querido, do emprego, do dinheiro, entre outros.

Esse estado pode ser temporário e, dependendo da reação, benéfico. A mediunidade não é patrimônio de pessoas mais evoluídas, muito embora o resultado bom ou ruim que cada um vai obter quando a exerce será relativo a seu nível espiritual.

É errado acreditar que quando sua mediunidade se manifesta é preciso utilizá-la em benefício dos outros. A revelação espiritual acontece em sua vida para chamar sua atenção sobre a eternidade do espírito, trazer-lhe conforto, mostrar a grandeza da vida que trabalha em favor do bem de todos.

É um processo que lhe mostrará a necessidade de equilibrar seu emocional porque você, tendo se tornado mais sensível, ficará vulnerável às energias à sua volta, seja das pessoas ou dos espíritos desencarnados.

Se você for impressionável, dramático, maldoso, crítico, depressivo, vai absorver energias afins que, além de distúrbios mentais, vão refletir-se no seu corpo físico e provocar sintomas de doenças. Nesse caso, o médico, apesar do que parece, não encontrará nenhuma doença. Quando esses sintomas são muito intensos, o médico pode querer pesquisar mais e, diante da complexidade do caso, até fazer um diagnóstico errado.

Se você sente esses sintomas, pode ser mediunidade, e é melhor estudar o assunto. Há livros de pesquisadores sérios que lhe darão boas informações. Há também grupos mediúnicos bem orientados, onde você poderá encontrar esclarecimento e ajuda para restabelecer o equilíbrio energético. Mas manter esse equilíbrio vai depender de como você disciplina seus pensamentos e suas atitudes.

Estando bem, se desejar trabalhar em favor dos outros, nunca o faça por medo ou por obrigação, mas por uma escolha do seu coração. É o amor verdadeiro quem move os fatos e materializa o milagre.

13

Crime e castigo

Há duas perguntas que me fazem com frequência: "Quando as pessoas são ruins nesta vida, sofrem algum castigo depois da morte?" e "As pessoas que convivem conosco hoje são nossas conhecidas de outras vidas?". Eis o meu ponto de vista:

Qualquer pessoa que proceder de maneira inadequada obterá resultados negativos, antes ou depois da morte. Não se trata de castigo, mas da resposta que cada um colhe pelo que faz. A vida ensina responsabilidade, tem seus próprios critérios, age dentro das leis cósmicas, que são eternas, e não dos padrões da sociedade, que são humanos e relativos.

Quais são seus critérios quando diz que alguém é ruim? Seja prudente ao rotular os outros. Um erro de avaliação pode custar caro e atrair uma situação igual à que criticou, para que possa avaliá-la melhor. Quem olha as atitudes das pessoas com animosidade fica vulnerável à maldade alheia.

Tenha bom senso. Quando alguém faz alguma coisa que o magoa, e você se sente injustiçado, não se deixe levar pelo primeiro impulso. Analise suas atitudes, procure perceber os vários lados do fato. Será que houve mesmo a intenção de ofendê-lo? Alguma atitude sua não teria provocado essa reação?

Se chegar à conclusão de que nada fez para provocar essa reação, sentirá a satisfação de ter a consciência tranquila e conseguirá ignorar a maldade dos outros. Você não responde pelas atitudes de ninguém, mas é responsável pela interpretação que faz delas.

Você pode escolher olhar tudo com bons olhos e ignorar a maldade. Não tem obrigação de tolerar os que ainda desconhecem o bem e derramam sobre você energias ruins. Não hesite em deixá-los em favor de sua tranquilidade. Mas faça isso sem ódios nem rancores. Você tem o dever de preservar sua paz. A vida tem como ensinar a eles o que precisam aprender.

As pessoas se unem pela afinidade dos seus sentimentos, que determinam se a ligação será prazerosa ou desagradável. O amor traz prazer, e o ódio, sofrimento. A ligação persiste enquanto os dois alimentarem o mesmo sentimento. Basta um perdoar com sinceridade para romper a ligação e o outro não poderá mais atingi-lo. Mas o outro, como ainda cultiva o mal, atrairá pessoas maldosas e sofrerá por isso, até que, por sua vez, se decida a perdoar.

Se você não está satisfeito com as pessoas que o rodeiam, sejam ligações de outras vidas ou não, é preciso deixar de se queixar, de criticá-las. Se deseja libertar-se, precisa sair do mal. Deus as colocou em seu caminho para que você as auxilie e abençoe. Liberte-as. Ignore o mal, valorize o bem e, uma a uma, as pessoas maldosas espontaneamente se afastarão e outras melhores se aproximarão de você. Experimente e verá!

14

Saúde e bem-estar

Você sabia que seu corpo reflete a maneira como você se vê e enxerga a vida? Se você for uma pessoa calma, bem-humorada, otimista, seu corpo será saudável, jovial, e chegará assim a uma idade bem avançada. Mas se você for pelo lado oposto, não valorizar o corpo, nem se conscientizar do que ele precisa para manter um bom desempenho, pagará caro por essa omissão.

Quem afirma isso é o doutor Deepak Chopra, em seu livro *Corpo sem idade, mente sem fronteiras*.

Ele relata várias pesquisas que comprovaram essa realidade e vai além, analisando o envelhecimento através da física quântica. Espiritualista, Deepak Chopra afirma que nesse processo de transformação da matéria só o espírito é real e tem o poder de criar, manipular e controlar as formas.

O espírito, apesar de estar ligado a um corpo materialmente cansado, pode sentir-se jovial, participar da vida, acreditar no futuro, o que prova que ele não envelhece. Ao contrário, aprende, amadurece, evolui.

Apesar de o envelhecimento ser uma condição natural, o andamento e a qualidade desse processo vão ocorrer conforme você se posicionar. Se deseja amadurecer bem, precisa reconhecer que o envelhecer do seu corpo físico é natural, mas também que você pode auxiliá-lo a viver bem essa fase da vida.

O corpo possui uma inteligência própria e, se você se ligar a ele com o propósito de apoiá-lo, acontecerá uma troca energética capaz de manter o seu equilíbrio e o seu bem-estar. Todas as noites, ao se deitar, habitue-se a sentir seu corpo e a lhe perguntar do que ele precisa. Se sentir uma sensação desconfortável, tome consciência do local do desconforto. Apenas isso. Esse hábito facilitará seu diálogo com seu corpo e fará você tomar decisões que lhe trarão mais saúde e equilíbrio.

Sendo seu espírito o comandante do corpo, as energias dos pensamentos aos quais você dá importância (importar-se é absorver) envolvem seu físico e provocam sensações, conforme o teor. A depressão tira suas energias vitais; a raiva queima os nervos periféricos e provoca dores musculares; o medo corta a ousadia e paralisa; a descrença impede o entusiasmo; a crítica envenena os rins; a maldade atrofia a consciência; a violência obscurece o raciocínio.

Há pessoas que agem assim e estão saudáveis. É que elas são ainda muito primitivas e a vida só vai ensiná-las a se tornar mais responsáveis quando puderem aproveitar os ensinamentos. Mas é bom afastar-se delas.

Pense nisso, você que deseja recuperar sua saúde, seu equilíbrio mental, físico e espiritual. Reaja, questione, estude, procure mais conhecimento e a vida responderá proporcionando-lhe mais saúde, equilíbrio e paz.

15

Ilusões e vitimismo

Hoje você acordou de mau humor. Durante a noite, ficou remoendo os problemas, na esperança de encontrar meios de resolvê-los e não conseguiu. Está se sentindo impotente, como se não lhe restasse mais nada a não ser culpar a vida, que privilegiou pessoas dando-lhes tudo enquanto a você tudo foi negado.

Você se comove diante de tanta injustiça, chora, se deprime, se entrega ao desânimo e acredita que só lhe resta deixar-se ficar, qual folha levada pelo vento, ao sabor da vida.

Houve uma época em que você tentou reagir. Fez tratamento médico, tomou remédios, procurou psicólogos, frequentou algumas igrejas, mas, além de nada ter dado resultado, sua vida foi ficando cada vez pior.

Sente-se rodeado por pessoas maldosas, seus relacionamentos só lhe trazem aborrecimentos e, apesar de se esforçar, sua vida profissional não deslancha, a falta de dinheiro é constante.

Está na hora de você dar uma guinada e mudar definitivamente a sua vida. Você está onde se põe. Essa é uma lei da vida que funciona igualmente para todos.

Você se julga vítima, incapaz de cuidar de si mesmo, não acredita na grandeza da vida e tem a pretensão de julgar que Deus errou quando fez você.

Saia dessa ilusão. Você é um espírito eterno que veio estagiar na Terra para progredir. Dentro de você há um imenso potencial, que é de sua responsabilidade desenvolver. Você é livre para escolher e está colhendo o resultado de suas escolhas. Foi você quem criou sua situação atual e, assim sendo, poderá mudá-la quando quiser.

Não acredita? Experimente e verá. Comece invertendo seus pensamentos. Faça uma lista de todas as suas qualidades, perceba o que tem de bom. Observe seu corpo físico, note como ele é perfeito e desenvolve suas funções com inteligência. Olhe em volta e veja a beleza da natureza, onde depois das tormentas o equilíbrio é retomado. Faça exercícios respiratórios, ligue-se com ela para recuperar energias. Coloque flores e plantas dentro de casa e cuide delas com amor. Elas vão retribuir renovando o ambiente.

Cuide do seu mundo mental. Sempre que surgir um pensamento negativo, não lhe dê importância, troque-o por algo positivo e ele desaparecerá.

Entre no seu coração para ligar-se ao seu mundo interior e sentir o que seu espírito deseja. A sensação de conforto e prazer indicará que conseguiu. Ao fazê-lo, estará se tornando Uno com Deus. É hora de sonhar com todo o bem que gostaria que sua vida fosse. Pense alto, você merece ser feliz! A vida é farta, rica, tem muito a lhe oferecer. E, quando os desafios do amadurecimento vierem, você estará forte e capaz de vencê-los. Comece já!

16

O poder de cada um

Quando há muita chuva e enchentes em vários lugares ao mesmo tempo, parece até que o planeta está chorando pela maldade humana que vem agredindo não só a Terra como toda a humanidade, preferindo a guerra em vez do diálogo, acreditando que a violência seja boa solução, que a corrupção seja vantajosa, que o descaso com a coisa pública seja normal, sem enxergar sua própria responsabilidade diante da vida, afundada no hábito de culpar os outros por tudo.

Na verdade, a ambição do poder é que tem fomentado as guerras, em que nunca há um vencedor, embora os que possuem mais força apareçam como tendo levado a melhor. Mas, olhando os participantes, verifica-se que as perdas foram igualmente distribuídas entre todos e a vitória foi aparente, só alimentando a vaidade de alguns.

No relacionamento entre as pessoas acontece o mesmo, tanto no âmbito familiar quanto no profissional. A ambição desmedida do poder cria uma guerra em que vale tudo. Começa na manipulação, passa pela maldade e pode chegar até o crime. O resultado é o mesmo: angústia, frustração, dor, sofrimento.

É muito prazeroso para o ser humano exercer o próprio poder. Sentir que pode tudo. Liderar, fazer as coisas do seu jeito. Ser inteligente, criativo, tornar-se especial, destacar-se como um ser superior. Essas necessidades estão dentro de cada um, lutando para expressar-se, fazem parte dos potenciais do nosso espírito, têm muita força e é quase impossível impedir que se manifestem.

Desde o início da civilização as pessoas estão tentando aprender a expressar esses sentimentos, de várias formas, sempre monitoradas pela vida que, com suas leis universais e perfeitas, responde a cada um de acordo com suas escolhas, transformando o erro em aprendizagem.

Na trajetória da evolução, percebemos que tem havido progresso em várias áreas, e hoje os países se unem na busca de soluções pacíficas. Mas o verdadeiro poder dessa conquista está dentro de cada um. Enquanto você não fizer a sua parte, tudo continuará como sempre foi.

Sinta que não é errado liderar, aparecer, tornar-se importante. Entre no seu coração, sinta que essas qualidades fazem parte do seu espírito. Note seus pontos fracos. Entenda que seu poder deve ser usado para gerenciar suas atitudes.

Não tenha medo de expressar a sua verdade. Respeite as diferenças. Lembre-se de que você não tem poder para manipular os outros. Cada um é dono de si.

Sendo verdadeiro, você poderá vir a liderar pessoas e o fará respeitando opiniões, sabendo ouvir, dialogando sem manipular, agindo em benefício de todos. Assim, estará fazendo a sua parte, tornando o mundo melhor.

17

Facilidades e dificuldades na vida

Há pessoas para quem tudo dá certo. Parece até que são favorecidas pela vida, que lhes abre as portas do progresso, enquanto outras, por mais que se esforcem e lutem, não conseguem obter nada de bom, os problemas se multiplicam, suas realizações são bloqueadas.

Será que a vida é tão injusta como parece? Será que age aos caprichos da sorte, sem avaliar os méritos e as possibilidades de cada um?

Não creio. Basta prestar atenção em como tudo funciona para notar que a vida tem um propósito definido em tudo que faz. Quer ter essa certeza? Comece a observar as pessoas à sua volta, analisar suas atitudes sem julgar (o julgamento distorce a verdade), acompanhe durante certo tempo os fatos que acontecem com elas.

Depois de algum tempo, enxergará claramente que eles estão sendo dispostos não só de forma a mostrar a essas pessoas seus pontos fracos, como também a levar-lhes elementos para que melhorem o próprio desempenho.

As leis universais que regem a vida trabalham ativamente no equilíbrio do Universo e a favor do progresso da humanidade. Estagiar na Terra significa possibilidade de desenvolver os potenciais do espírito, conquistar sabedoria.

Na Terra estão encarnados espíritos de vários níveis, estabelecidos por uma faixa mínima e máxima de evolução, o que favorece a aprendizagem de todos.

Será que tudo é mais fácil e vai dar mais certo para os que são mais evoluídos? Nem sempre. A evolução não ocorre de forma linear e depende das escolhas de cada um, que é livre. Pode ocorrer que, mesmo tendo mais conhecimento em uma área, o espírito seja ignorante em outras, por não gostar de enfrentá-las. Entretanto, não poderá agir assim indefinidamente. Diante do projeto divino que o espírito traz em sua trajetória, em que há a necessidade de conquistar completa sabedoria, lhe é concedido um tempo justo para que enfrente os pontos nos quais sente dificuldade, findo o qual o arbítrio acaba nessa área.

Se tudo dá errado para você, é hora de mudar suas atitudes. O Universo trabalha em seu favor e colocou dentro de seu espírito tudo que você precisa para ser vencedor em todas as áreas de sua vida:

1) use seu querer e o poder que tem para trabalhar em seu favor;

2) enriqueça seu espírito adquirindo conhecimento;

3) acredite na sua capacidade;

4) seja generoso, próspero, aceite as diferenças, respeite o direito dos outros;

5) cultive o otimismo, a alegria, a jovialidade, a beleza, as artes;

6) seja verdadeiro em seus sentimentos;

7) valorize-se.

Agindo dessa forma, estou certa de que descobrirá o próprio poder, mudará sua vida, se tornará uma pessoa melhor.

18

Inimigos astrais

Embora haja quem ainda esteja discutindo se a vida continua após a morte, saber que nossos inimigos não são eliminados ao morrer e podem voltar para vingar-se é assustador para aqueles que durante a vida alimentaram inimizades.

Os espíritos são invisíveis, e saber que podem atravessar paredes, invadir nossa privacidade, nos atacar, mesmo para quem não tem certeza, é assustador.

Muitas pessoas neste mundo agem de forma errada, mentem, interferem na vida alheia, prejudicam os outros em favor dos próprios interesses, certas de que estão em segurança quando ninguém fica sabendo de nada. Ocultam-se na ilusão de escapar à responsabilidade de seus atos. Mas isso não existe. Nada do que acontece fica oculto. Mesmo quando não se vê, ninguém fica impune. A vida responde a tudo que fazemos.

Um inimigo desencarnado que deseje vingar-se fica atento ao seu comportamento e pode tornar-se um cobrador inveterado de suas fraquezas. Só através delas ele poderá atingi-lo. Mas, se você resistir às sugestões do mal e reagir positivamente, ele não terá como fazê-lo.

Cada pessoa tem um guia espiritual que o ajuda, aconselha, acompanha seu desempenho no dia a dia. Ele precisa ter permissão superior para exercer essa atividade e ser mais evoluído que a pessoa que ele protege. Aquele pensamento bom que você teve, aquela vontade de perdoar, compreender as dificuldades dos outros, lhe foram inspirados por ele. Ele aconselha, mas não interfere em suas decisões. Respeita seu livre-arbítrio. A escolha é sua.

Por outro lado, a irritação, a vontade de brigar, de não levar desaforo pra casa, pode bem ter sido sugerida por um espírito perturbador, inimigo do passado ou não, mas que gosta de ver você em confusão.

A forma como você pensa e se trata é que atrai as suas companhias espirituais. Saiba por quê, respondendo às perguntas: Quando recebe uma crítica, de que lado você fica? Deprime-se, pensando que os outros sempre têm razão? Julga-se errado, cobra-se o tempo todo? Não acredita na própria capacidade e só faz o que os outros querem? Tem medo de dizer não?

Toda vez que se cobra, se pune e fica contra você, está dando abertura a que todos, encarnados ou não, se aproveitem de suas fraquezas. Ninguém é vítima, a não ser de si mesmo.

Se você teve algum desafeto que morreu e teme que volte para perturbá-lo, defenda-se. Coloque essa pessoa na sua frente e perdoe de coração as ofensas que julga ter recebido. Firme o propósito de ficar no bem, entregue tudo nas mãos de Deus e fique em paz.

19

Os médiuns

As pessoas fazem muita confusão a respeito dos médiuns e das comunicações com os espíritos. Algumas acreditam que os médiuns existem para fazer o que elas querem, resolver seus problemas, curar suas doenças. Acreditam que os médiuns podem intervir nos acontecimentos cotidianos, de acordo com seus caprichos e suas ilusões. E revoltam-se quando eles não fazem o que desejam.

A assistência espiritual existe e tem prestado incontáveis serviços às pessoas, numa demonstração de que a vida é amor, bondade, mas jamais se prestará a fazer por elas a parte que lhes cabe. Jamais um amigo espiritual se prestaria a esse papel. Eles são muito independentes e só se comunicam quando podem, quando têm permissão dos superiores para fazê-lo. Esse "telefone" só toca de lá para cá, conforme nos ensinava o querido Chico Xavier.

As pessoas que usam a mediunidade sem conhecimento são presas fáceis de espíritos perturbados e acabam pagando um preço muito alto por essa "ajuda".

Há alguns anos fui a um cabeleireiro e, enquanto aguardava minha vez de ser atendida, tive minha atenção voltada para uma moça que estava cortando os cabelos. Uma voz me dizia que eu precisava lhe falar e que era importante. Como eu não sabia o que dizer-lhe, não disse nada. Mas quando eu estava no secador, ela veio sentar-se ao meu lado. Então comecei a sentir um peso na barriga, na altura dos ovários, e quando percebi já estava falando com ela.

— Você tem algum problema nos ovários?

— Por quê?

— Por que você teve uma gravidez tubária que não evoluiu. Fique tranquila, não é nada grave. Vai ficar tudo bem.

Minha boca falava e eu observava sem poder parar. Ela começou a chorar e respondeu:

— Eu vim fazer o cabelo e as unhas porque vou me internar no hospital hoje à tarde. Tenho um cisto no ovário e serei operada amanhã cedo. Eu estava muito nervosa. Tenho filhos pequenos e temia que me acontecesse alguma coisa. Agora sei que tudo vai sair bem.

A emoção tomou conta de nós. E, de fato, quando voltei lá na semana seguinte, soube que ela tinha sido operada com sucesso e eles tinham retirado um feto extrauterino mumificado. A ajuda dos espíritos em nossas vidas tem se manifestado de inúmeras formas, nem sempre tão direta como essa. Por isso, valorizo as comunicações espontâneas que, na maioria das vezes, trazem detalhes que provam sua veracidade. Um atraso, a perda de um avião ou uma mudança de última hora em nossos planos podem ser uma forma de evitar acidentes ou problemas. Quem não pode contar uma experiência a esse respeito? É hora de confiar na vida, que sempre nos protege.

20

O poder da fé

Eu e você somos pessoas de fé. Acreditamos que há um poder maior que nos criou, nos alimenta e mantém a vida. Não temos como avaliar esse poder, mas, observando os detalhes da natureza, da qual também fazemos parte, notamos o quanto é inteligente.

A cada dia a ciência descobre algum detalhe novo, que enriquece o conhecimento humano, mas que ao mesmo tempo abre portas a que se intensifiquem as pesquisas, porque sabe que sempre poderá encontrar algo mais.

Alguém já disse que "a fé é a divina claridade da certeza". E, seja pela observação da vida, pelas experiências no trato com o espiritual, que, mesmo no anonimato, de vez em quando dá provas de que não estamos sós, acreditamos na força desse poder superior.

A vida nos apoia e protege. Sempre age em nosso favor, mesmo quando, em razão das nossas escolhas erradas, colhemos um resultado ruim. É assim que vamos aprendendo as leis espirituais que regem a vida.

A certeza da fé independe da religião. É um sentimento vivo da alma que nos une com o poder divino e aviva nossa intuição. E, quando estamos nesse estado, nossas ideias se abrem, sentimos paz e grande bem-estar.

Nosso mundo está passando por um momento difícil. Grandes tragédias, mortes, destruições, sofrimentos. Muitos perderam tudo — família, casa, segurança — e estão desorientados. Quando o sofrimento é desse nível, torna-se difícil manter a calma.

A solidariedade tenta aliviar um pouco a situação, mas ainda assim a atmosfera terrestre está muito pesada. As energias de sofrimento dos que morreram, dos que ficaram e da população que assiste a tudo isso espalham-se no mundo astral atingindo a todos.

De repente, sem nenhum motivo, você começa a sentir medo, tem a impressão de morte, como se sua hora estivesse próxima. Sente um aperto no peito, angústia, depressão. Conversei com várias pessoas que estão sentindo isso.

Pense que a vida não erra. Se essas tragédias estão ocorrendo com essas pessoas é para fazê-las evoluir. Tudo passa, a vida continua e o espírito é eterno.

Meus amigos espirituais pediram a você que os ajude a renovar as energias que nos cercam.

Com a certeza da fé no coração, entregue a situação nas mãos de Deus, que pode tudo, e acredite que todos estão amparados pela bondade divina. Jogue fora a tristeza, cultive a alegria, mentalize a luz do sol brilhando no céu, imagine que a paz está reinando sobre o planeta.

Participe, faça a sua parte. Contribua para que dias melhores possam vir para todos nós. Os espíritos amigos agradecem e o abençoam.

21

Você é sempre um sucesso

Você é e sempre foi um sucesso! Não acredita? Posso provar. Sua vida é obra sua. Você é responsável por suas experiências. Mesmo aquelas que parecem não depender de você foram atraídas por sua forma de pensar. O fracasso não existe. Seu subconsciente trabalha na materialização de suas crenças. Ele não tem senso de humor. Faz sempre o que você crê.

As coisas não vão bem? Você só colhe infelicidades? É hora de perceber como você faz isso. Certamente, não escolheu a atitude adequada para obter bons resultados. Mudando essa atitude, tudo se modificará.

Você está na Terra para aprender a lidar com as leis que regem a vida, evoluir e ser feliz. A vida programa nossas experiências conforme nossas necessidades, a fim de conquistarmos a sabedoria.

Na queixa há uma justificativa para continuar a ser como é, mas há também uma autoimagem negativa. Você pensa que não pode fazer nada, que é incapaz e não merece. Conforma-se em ser pobre, ficar em segundo plano. Pensa primeiro nos outros (é feio pensar em você primeiro...). Acha que, para ter, outros vão perder. Esses pensamentos são depressivos e atraem a infelicidade.

Seu subconsciente recebe as mensagem que você lhe envia. Você tem o poder de criar o próprio destino. Se deseja viver melhor, reconheça isso e trate de cultivar o oposto.

Comece fazendo uma lista de suas crenças e até das frases que costuma dizer. Se for sincera e ficar atenta, vai perceber quais as crenças que são responsáveis por sua infelicidade. Não pense mais nelas. Esqueça-as. Quanto mais se preocupar em eliminá-las, mais as alimentará.

Em seus relacionamentos, em vez de perguntar: "Como vai?", que dará chance a que as pessoas se queixem, prefira exclamar: "Como você está bem! Que maravilha!".

Quando alguém se queixa e você acha que precisa ser solidária para parecer que é boa e que sofre com a dor alheia, com certeza vai carregar uma boa parte das energias negativas da pessoa. E, se você for muito sensível, é possível que a queixosa acabe por se sentir melhor e você saia dali derreada. Nunca lhe aconteceu isso?

Faça afirmações positivas, sempre usando o presente. Exemplos: "Eu sou feliz", "Tenho muita sorte", "Minha saúde está cada dia melhor" etc.

Escreva-as e espalhe-as em sua casa, nos lugares onde possa vê-las constantemente. Repita-as várias vezes ao dia. Não esqueça de pôr emoção nelas e ignore aquela voz que lhe diz: "Não vai funcionar". Insista.

Lembre-se: você colhe o resultado de suas escolhas e tem o poder de mudar o que não deu certo. Para o bem ou para o mal, você sempre foi um sucesso.

22

O jovem e a vocação

O jovem que deseja ir para a universidade desde muito cedo é pressionado pelos pais, pela sociedade e até pelos amigos, para escolher uma carreira, definir seu futuro. Nessa idade, raros são os que têm uma vocação definida e, quando têm, geralmente é diferente da que os pais desejam.

Diante dos mais velhos, que "sabem mais", esses jovens aceitam os conselhos e lutam para conquistar um diploma que, segundo "eles", lhes garantirá boa renda e sucesso. Com o diploma nas mãos, eles vão para o mercado de trabalho, esperando o prêmio de seus esforços.

É hora de sair do sonho e encarar a realidade. Na universidade, aprenderam uma profissão, mas ninguém lhes ensinou que o sucesso profissional depende de outros fatores que vão além do conhecimento teórico.

Escolher uma carreira de acordo com a vocação é condição indispensável para ter sucesso. Fazer o que gosta traz motivação, melhora a qualidade do serviço executado, traz o prazer da realização.

Trabalhar por obrigação é sacrifício, cansa, frustra, deprime. Se você acha que trabalhar é penoso, que progredir é difícil, que não vai conseguir sucesso, é hora de analisar a forma como você se vê, como vê a vida e substituir essas crenças que o estão limitando por outras mais positivas.

Pense: por que você precisa continuar preso a uma rotina da qual não gosta? O que o faz acreditar que não tem como sair dessa situação e ir em busca do que realmente gosta e quer?

Quem está insatisfeito precisa ter a ousadia de abandonar tudo, pagar o preço da mudança e ir em busca da sua satisfação pessoal.

Você é livre para escolher ser o que quiser. O limite é você quem põe. Você é o dono de sua vida. Sinta o que gostaria de realizar e vá em busca de seus sonhos.

Se estiver inseguro, estude a vida de pessoas que conseguiram sucesso em todas as áreas. Elas escolheram suas prioridades, criaram estratégias, tiveram atitudes que favoreceram um bom desempenho. Pesquisando, selecionei algumas variáveis que levam a essa conquista. São elas:

1) acreditar que pode;
2) conhecer suas qualidades e pontos fracos;
3) respeitar as diferenças;
4) cuidar de si mesmo em primeiro lugar;
5) aprender sempre mais;

6) no trabalho, fazer mais do que lhe é exigido;

7) não dramatizar nem criar excessivas expectativas sobre nada;

8) não cair nas armadilhas da maldade. Se não puder elogiar, fique calado;

9) cultivar o otimismo e a alegria de viver;

10) ser ético em suas atitudes.

Essas são algumas sugestões que funcionam e podem ajudá-lo tanto na conquista da realização profissional como em seus relacionamentos. Comece agora. Experimente e verá!

23

O mal é ilusão

A incapacidade de perceber o bem em suas vidas, temer o futuro, acreditando assim evitar o mal, revela por que as pessoas sofrem. Ao pensar assim, elas estão em sintonia com o mal o tempo todo. Acreditam que o sofrimento seja inevitável, colecionam queixas dos acontecimentos desagradáveis que lhes acontecem. O que podem esperar? O que você planta colhe!

— Eu sou uma pessoa boa — parece-me vê-la responder —, nunca cultivei o mal, só desejo o bem. Mas eu sou realista, não me iludo. A dor é uma realidade!

Você até pode desejar o bem, mas quando se fixa nas queixas, no lado negativo das coisas, age sob essa ameaça. Não importa o que você gostaria, mas sim o que você faz! Suas atitudes determinam sua verdadeira escolha. Depois de semear, vai ter de colher. A dor machuca e, quando chega, promove mudanças. Porém, a dor só aparece quando foram esgotadas todas as outras alternativas.

Há pessoas que estão sempre bem, para as quais tudo é fácil, já notou? Já se perguntou por quê?

Observe como elas agem: são otimistas, cuidam de si, são independentes, ousadas, fazem seu melhor. Diante da dor e do sofrimento das pessoas, ajudam quando podem e, quando não têm como, confiam na vida, sabem que ela tem como auxiliar a cada um conforme a necessidade e não se preocupam mais com o assunto.

Muitas pessoas, diante da dor, acreditam que pensar nela é solidariedade. Que "sofrer junto" significa ter bondade, fraternidade. Como se adoecer com o doente pudesse curá-lo! Em vez de sofrer com as tragédias sociais que assolam o mundo, seria bom se perguntar: — Eu tenho condições de fazer algo para melhorar tudo isso?

Se sentir que tem, faça. Faça e esqueça. Se não tem, reconheça seus limites e também esqueça. Não carregue o peso dessa dor nem se impressione com ela. As coisas não vão melhorar só porque você gostaria que elas fossem diferentes.

Seja modesta, reconheça que não tem condições de modificar as pessoas. Saia da ilusão de querer "salvar o mundo". A vida é Deus em ação. Saia do negativismo e perceba os tesouros que enriquecem sua vida. O corpo saudável, uma particularidade especial... Uma casa aconchegante, uma família bonita, um amigo dedicado, um sorriso agradável, a liberdade de escolher, a facilidade para determinadas coisas, uma boa voz para cantar etc. Viva o seu momento, saia da ilusão, não condicione seu bem-estar: "Eu só serei feliz quando..." ou "Eu só serei feliz se...". Com esse comportamento, você desperdiça os melhores momentos de sua vida. Não faça isso! Acredite: tudo na vida tem dois lados. Escolha o melhor e seja feliz!

24

Superando os desafios

Há momentos na vida em que precisamos tomar decisões e temos dificuldade de descobrir o melhor caminho. É que, envolvidos emocionalmente nos fatos, nem sempre conseguimos enxergar a realidade. Vários fatores interferem nesse processo, mas é fundamental analisar como você vê e interpreta os acontecimentos.

Quando um desafio aparece, a primeira reação que temos é fruto das experiências desagradáveis do passado. Elas estão em nosso subconsciente e se manifestam através do nosso instinto de defesa natural, fazendo-nos temer o pior. Reaja a essas energias. Diga a si mesmo que é uma situação nova, que tem vários lados. Você vai analisá-la muito bem antes de tomar qualquer atitude.

Jogue fora todos os pensamentos negativos que surgirem, acredite que para todas a situações existe uma boa solução. Qual é a boa solução? É a que oferece a todos os envolvidos a lição que cada um precisa aprender.

Fazer isso não é de sua responsabilidade e você não tem essa pretensão. Mas está em suas mãos pedir a inspiração divina, primeiro para deixar as impressões do passado e o temor do futuro irem embora e ter o caminho aberto para enxergar a verdade. Depois, quando sentir que deixou de interpretar os fatos, imagine que deu um passo atrás, é outra pessoa, está do lado de fora, só observando. Então comece a analisar os acontecimentos, em seus vários aspectos, tanto os positivos como os negativos.

Se fizer isso, pode se surpreender. Aos poucos, o que lhe parecia complicado se tornará mais simples. Assim como poderá também descobrir que a solução demandará tempo e não será possível naquele momento.

Aconteça o que acontecer, você terá uma visão clara da realidade. No primeiro caso, a solução será fácil e satisfatória. Já no segundo, precisará ser paciente, fazer o que for possível e entregar o impossível nas mãos de Deus.

Você não tem o poder de mudar os outros. Mas pode mudar a maneira de se relacionar com as pessoas maldosas, com as quais não tem nenhuma afinidade, a fim de preservar sua paz. Quando elas vivem próximas de você e for difícil libertar-se, deixe de reclamar, de criticá-las, para não alimentar a ligação existente, e comece a não dar importância ao que elas fazem ou dizem.

Escreva uma carta para Deus, descreva a situação, entregue a situação nas mãos dEle e continue agindo positivamente, não se deixando contaminar pela maldade. Peça-Lhe também que lhe mostre qual a lição que precisa aprender para poder libertar-se e assine. Durante alguns dias vá para um lugar sossegado, entre em seu coração, ligue-se com Deus e leia a carta. Depois, guarde-a e esqueça. Ou a pessoa passará a entrar em sintonia com você, ou se mudará definitivamente para longe.

25

Encarando a morte

Nós não gostamos de pensar na morte. Levamos a vida sem nos lembrar dela até que, de repente, ela passa bem perto e somos forçados a encará-la. É difícil para nós aceitar o irremediável. Nossa impotência diante dela nos torna fracos, aumenta a dor da perda e o "nunca mais" abre uma ferida que custa a cicatrizar. Principalmente quando a morte é violenta ou prematura.

A morte é fatal e todos nós, um dia, passaremos por esse processo. Evitar o assunto não a impedirá de consumar-se quando chegar a hora. Portanto, o conhecimento e o estudo podem nos ajudar a atravessar esses momentos com mais coragem.

Diversos cientistas famosos pesquisaram o assunto durante anos, escreveram livros provando que a vida continua depois que o corpo de carne morre e que os que partem da Terra vão viver em outros mundos. A morte não é o fim!

Se você perdeu um ente querido, está sofrendo, não consegue aceitar, embora você duvide, saiba que ele continua vivo em outro lugar e vocês continuam ligados pelos mesmos laços de antes.

Faça um exercício comigo: imagine, por um instante, que foi você quem partiu, está sozinho, deixou seu quarto, suas roupas, sua casa, seus entes queridos, seu trabalho, tudo. Sente-se frágil, emocionado, sensível. Percebe que algo diferente está acontecendo. Olha em volta e, em meio a pessoas desconhecidas, vê um parente que já morreu. Suspeita da verdade. Recorda dos momentos que antecederam e percebe que já atravessou a fronteira da vida e da morte. Apalpa seu corpo e sente que continua vivo. Uma onda de alegria o invade e deseja contar essa descoberta aos parentes que ficaram. Mas, ao pensar neles, sente uma onda de desespero, uma revolta e uma dor apertando seu peito. Aflito, quer ir ao encontro deles, contar a verdade, pedir que não chorem, dizer que está bem.

Amigos espirituais o amparam e o convidam para seguir com eles, mas como seguir adiante deixando seus familiares sofrendo tanto, iludidos por uma situação irreal? Muitos desencarnados se perdem entre os dois mundos, tendo muita dificuldade para seguir adiante. Pense nisso.

Ter a certeza de que o espírito é eterno, de que a vida continua e a separação é temporária, nos faz enfrentar a morte de maneira mais natural. Conhecer as leis espirituais que regem o equilíbrio da vida conforta, mesmo nas mortes prematuras ou violentas. Mesmo com dificuldade, contribui para a aceitação do irremediável.

Não tenha medo de enfrentar esse tema. Desafie a vida questionando, estudando, buscando provas. Estou certa de que ela lhe responderá.

26

O poder das nossas crenças

Como está sua vida, seus projetos? Faço votos de que tudo esteja bem e o otimismo dinamize seu dia a dia. Mas se isso não está acontecendo, se a falta de motivação, o tédio, a insegurança estão tirando seu bem-estar, está na hora de rever suas crenças e descobrir como chegou a esse desagradável resultado.

Espero que você já tenha entendido que culpar os outros não vai resolver seus problemas e só concorre para aumentar sua depressão.

Meu filho Luiz Antonio (psicólogo, professor), depois de pesquisar durante anos, afirma que: "Você está onde se põe e é o único responsável por tudo quanto lhe acontece".

Ele está certo. Nós fazemos escolhas e colhemos os resultados. Se eles não nos favorecem, o melhor será investigar como estão nossas crenças. Elas são responsáveis pela nossa forma de olhar a vida.

Estamos habituados a dar mais importância ao mundo exterior e aceitar o que os líderes ou pessoas famosas falam, sem questionar, esquecidos de que, mesmo tendo qualidades que os fizeram brilhar, eles são seres humanos, capazes de se enganar.

A inteligência nem sempre vem acompanhada de sabedoria, e muitas vezes é utilizada para estabelecer falsas crenças, aceitas em nossa cultura como verdadeiras.

São suas crenças que determinam suas atitudes. Uma crença falsa é contrária às leis espirituais que regem a vida e trará um resultado negativo, mesmo que utilizada com boa intenção. É claro que você quer fazer o melhor. Mas se partir de uma premissa equivocada, não obterá o que pretende.

Por isso é importante rever suas crenças, questionar, testar se são verdadeiras antes de adotá-las. Esse é o primeiro passo. Em seguida é preciso ir mais fundo nos seus sentimentos para saber quais as aspirações de sua alma, o que a faria feliz.

Não existe duas pessoas iguais. A diversidade é lei que estabelece o equilíbrio do Universo. Cada um é um, com potencial perfeito para cuidar da própria evolução e da vocação específica para atuar em determinado setor do progresso coletivo, que é de sua responsabilidade desenvolver.

Você é um espírito eterno, sua essência é espiritual. Olhar a vida sobre essa ótica é sua verdadeira função. Exercê-la abre sua intuição e torna mais fácil fazer sua parte. Quando você faz a sua parte, a vida lhe dá todo o bem que deseja e merece.

Esse é o único caminho para o progresso. Experimente, teste, observe, abra os olhos para aquilo que é. É verdade que um dia você vai chegar lá, mas se começar agora chegará mais depressa. Esses são os meus votos.

27

A vida é eterna

Evitamos pensar na morte. Levamos a vida sem nos lembrar dela até que, de repente, ela passa bem perto e somos forçados a encará-la. É difícil aceitar o irremediável. Quando a morte é violenta e prematura, o sofrimento é maior. A impotência diante dela nos torna fracos e inseguros. Quem acredita na eternidade do espírito, na continuidade da vida, busca conforto na oração, mas para os materialistas não há essa possibilidade e o "nunca mais" abre uma ferida que custa a cicatrizar.

Quando a morte surge prematura, cercada de violência, cuja causa não podemos entender, a dor é ainda pior e difícil de enfrentar. A pessoa que passa por uma experiência dessas nunca mais será a mesma.

Mas em minha experiência de tantos anos com a mediunidade, tenho notado que a perda de um ente querido costuma chamar a atenção das pessoas sobre a relatividade da vida na Terra, e muitas começam a estudar os fenômenos mediúnicos, querendo encontrar as provas da continuidade da vida. Essas provas existem em profusão e é o melhor caminho para quem está vivendo essa dor. A certeza de que a separação é temporária, de que um dia estarão juntos de novo, conforta e traz serenidade. Mas é preciso estudar o assunto, procurar esclarecimento e orientação através dos livros de pesquisadores sérios, que durante anos experimentaram esses fenômenos e publicaram os resultados.

Sou médium de um tipo de psicografia em que só recebo contos e histórias. Receber notícias de familiares é uma característica especial e mais rara, como, por exemplo, a de Chico Xavier. Eu não evoco espíritos, sei que as comunicações espontâneas são mais confiáveis. E em vez de correrem atrás dos médiuns em busca de uma mensagem, seria melhor procurá-los com a intenção de descobrir a verdade. Ter a certeza de que a vida continua, não porque eu estou dizendo ou porque alguém escreveu um livro, mas porque você mesmo comprovou, sentiu, sabe que isso é verdade.

Você não acha que esse é o melhor remédio? Essa certeza lhe dará serenidade porque transformará o "nunca mais" em "até breve". Cicatrizará as feridas, derrotará os medos, harmonizará seu mundo interior. Apesar do que aconteceu, você terá coragem de seguir em frente e olhar a vida com mais amplitude e entendimento.

Em vez de perturbar seus entes queridos que partiram, angustiando-os com seu inconformismo e inquietação, você poderá, com sua saudade e com seu amor, enviar-lhes energias nutritivas de confiança no futuro, contribuindo efetivamente para que superem suas dificuldades e fiquem em paz. Experimente e verá!

28

As energias que nos cercam

Você está bem? Percebe as energias que estão à sua volta? Sabe que além de seu corpo de carne você tem o corpo astral? É ele quem canaliza as energias vitais para que seu corpo físico continue vivo e saudável. É através dele que as energias entram e saem. É através de seus pensamentos e crenças habituais que essas energias permanecem em você.

Quando se deprime, é pessimista, vê perigos por toda parte, acumula em seu corpo astral energias que comprometem sua saúde física, provocando os mais diversos sintomas. Exalando esse tipo de energia, você atrai para sua vida pessoas, encarnadas ou não, que pensam como você, o que vai agravar seu mal-estar.

No início, essas energias se acumulam só no corpo astral e, embora você sinta inúmeros sintomas desagradáveis, os médicos nunca conseguem descobrir a doença. Com os anos, elas acabam por atingir o corpo físico e aí sim os exames vão detectar o mal. Mas, quase sempre, tarde demais para a cura. Quando consegue curar uma doença, outras aparecem.

Os remédios poderão aliviar alguns sintomas, mas não atingirão a verdadeira causa. Ela reside na forma como você sente e vê a vida, na importância que dá ou não ao que lhe acontece. Tudo aquilo a que você dá importância passa a fazer parte do seu mundo interior e reflete no seu dia a dia.

Quando analisamos os acontecimentos, falamos em merecimento e culpa, em certo e errado, em crime e castigo, acreditamos que Deus tenha um código de ética para nos julgar. Os fatos provam que isso não é verdade.

Quantas pessoas bondosas, virtuosas, sofrem tragédias dolorosas enquanto outras "ruins" passam a vida inteira sem que nada de mau lhes aconteça?

É que vida tem critérios próprios, muito diferentes dos nossos. Ela nos vê como seres em desenvolvimento. Conhece a capacidade de cada um, não exige o que as pessoas não têm condições de dar. Ninguém castiga uma criança de cinco anos por não saber ler. Espera a hora apropriada para mandá-la à escola. As pessoas "ruins" são crianças espirituais que precisam frequentar a escola do mundo para aprender. São protegidas pelas leis universais para que permaneçam largo tempo na Terra, para aprender mais.

O conhecimento traz responsabilidade e as leis universais exigem que cada um utilize o que aprendeu. Você perde a proteção ao agir de maneira ignorante, quando já saberia fazer melhor, e terá de assumir as consequências dessas suas atitudes.

Se você é uma pessoa bondosa e está cheia de problemas, com certeza não está usando seus conhecimentos como poderia. Você já tem condições de ter saúde, sucesso e felicidade. Só precisa fazer o que sabe. É hora de experimentar.

29

Ajuda espiritual

Muitas pessoas se equivocam no trato com os fenômenos espirituais. Elas pretendem "negociar" com Deus, realizando uma troca vantajosa para ambas as partes: "Eu 'trabalho' para você, mas você tem que tirar todas as pedras do meu caminho. Se não fizer isso, eu largo tudo!".

Você pensa assim? Acredita que, se dedicando ao trabalho espiritual, trabalhando com sua mediunidade, ajudando os outros, estará livre dos problemas do dia a dia?

É assim que a maioria procura ajuda nas igrejas, nos centros espíritas e nos terreiros de umbanda. E se a princípio, impressionados com o que sentem ou presenciam nesses lugares, acreditam que todos os seus problemas emocionais e espirituais já estão resolvidos apenas por estarem ali, tempos depois acabarão descobrindo seu engano. Os problemas vão reaparecer mais vivos do que antes, levando-os à desilusão e à descrença.

Essa atitude é comum e revela um completo desconhecimento das leis universais que regem a vida. Orar, frequentar um lugar de oração, fazer o bem aos outros vai atrair boas energias, muitos amigos, oportunidades de progresso, mas só isso. Ninguém, por mais que deseje ajudá-la, vai fazer a parte que lhe cabe no processo de seu amadurecimento.

É a experiência que amadurece. Somos livres para escolher, mas colhemos os resultados de nossas escolhas. Entre erros e acertos, vamos aprendendo como a vida funciona e, à medida que melhoramos nossa visão da realidade, vamos conquistando mais equilíbrio emocional, mais confiança na vida, mais força e serenidade. Nada substitui a vivência. Sem ela ninguém poderá evoluir.

É de sua responsabilidade analisar seu mundo interior, suas crenças, enfrentar seus pontos fracos, seus desafios, encontrar soluções. Acreditar que os outros podem fazer sua parte é um engano que, além de retardar a conquista de sua harmonia interior, só lhe trará sofrimentos. Felizmente, muitas pessoas já descobriram isso e os livros de autoajuda estão sendo muito procurados.

Frequentar um lugar de oração onde você possa expressar sua fé, receber inspiração espiritual, pode esclarecer, aliviar, fazer uma pausa. Mas para melhorar seu desempenho efetivamente, equilibrar suas energias, sua lucidez, seus relacionamentos, conquistar uma vida melhor, é preciso evoluir. Analisar seu mundo interior, suas crenças e atitudes, sair do drama, do negativismo. Ser otimista, acreditar que merece o melhor. Estudar, cuidar dos seus pontos fracos, ser verdadeira em seus sentimentos. Não dar força à maldade, ficar no bem. Mas na hora da decisão, a escolha é sua. Não acha que vale a pena tentar?

30

Energias pesadas

Se você for uma pessoa sensível, já deve ter registrado a quantidade de energias negativas que estão à nossa volta. Elas nos envolvem de repente, provocando mal-estar, quer tenhamos ou não conhecimento do assunto.

Os sintomas se repetem: corpo pesado, arrepios, sudorese, enjoo, sensação de desmaio, impressões penosas, medo de um perigo iminente e da morte.

A ida ao consultório médico informa que você não tem nenhuma doença física. Essa certeza acalma, renova sua confiança na saúde, mas não impede que esse mal-estar apareça de novo. Trata-se de um fenômeno natural, e quem deseja evitá-lo precisa aprender a lidar com ele.

Muitos recorrem à ajuda dos grupos de terapia, aos centros espíritas, e a sabedoria popular já troca informações sobre as causas dessa captação energética e os diversos meios de minimizá-la.

Todos esses recursos são úteis de alguma forma, mas o que garante um sucesso maior é a educação do seu emocional, cujos pontos fracos atraem naturalmente energias afins.

As turbulências do mundo moderno, forçando mudanças na sociedade, acelerando o progresso tecnológico, encurtaram distâncias, apressaram o contato entre os países, que foram forçados a encarar suas diferenças culturais. A resistência de alguns torna difícil manter a paz. As guerras continuam ensanguentando o mundo.

Lucius, meu amigo espiritual, conta que, apesar do tempo decorrido, os hospitais do astral estão repletos de espíritos que viveram os horrores das guerras, carregando sequelas e que, apesar do tratamento, ainda não conseguiram se recuperar.

É preciso lembrar que uma guerra mundial, onde os bombardeios constantes ameaçam a população civil, induz ao imediatismo, faz com que as pessoas vivam com mais intensidade. Com homens na guerra, as mulheres foram obrigadas a assumir o trabalho deles e libertar-se dos conceitos antigos.

A revolução dos costumes quebrou tabus, mudou conceitos. A hipocrisia da sociedade foi revelada e muitos perderam a noção do bem e se afundaram nos exageros, resvalando para hábitos destrutivos. Hoje colhem o resultado de suas escolhas, tanto no astral como na Terra.

Quem está sofrendo emite energias dolorosas onde quer que esteja. No astral ou na crosta terrestre, há espíritos vingativos, interferindo na vida das pessoas. Mas eles só atingem os que estão no negativismo.

Quando sentir energia ruim, não tenha medo. Reaja. Reveja um momento de felicidade que teve, sinta sua alegria. Não dê força à maldade, fique no bem. Essa energia ruim não é sua. Mande-a embora com firmeza. Insista e sentirá alívio imediato. Vacine-se contra esse mal. Você pode.

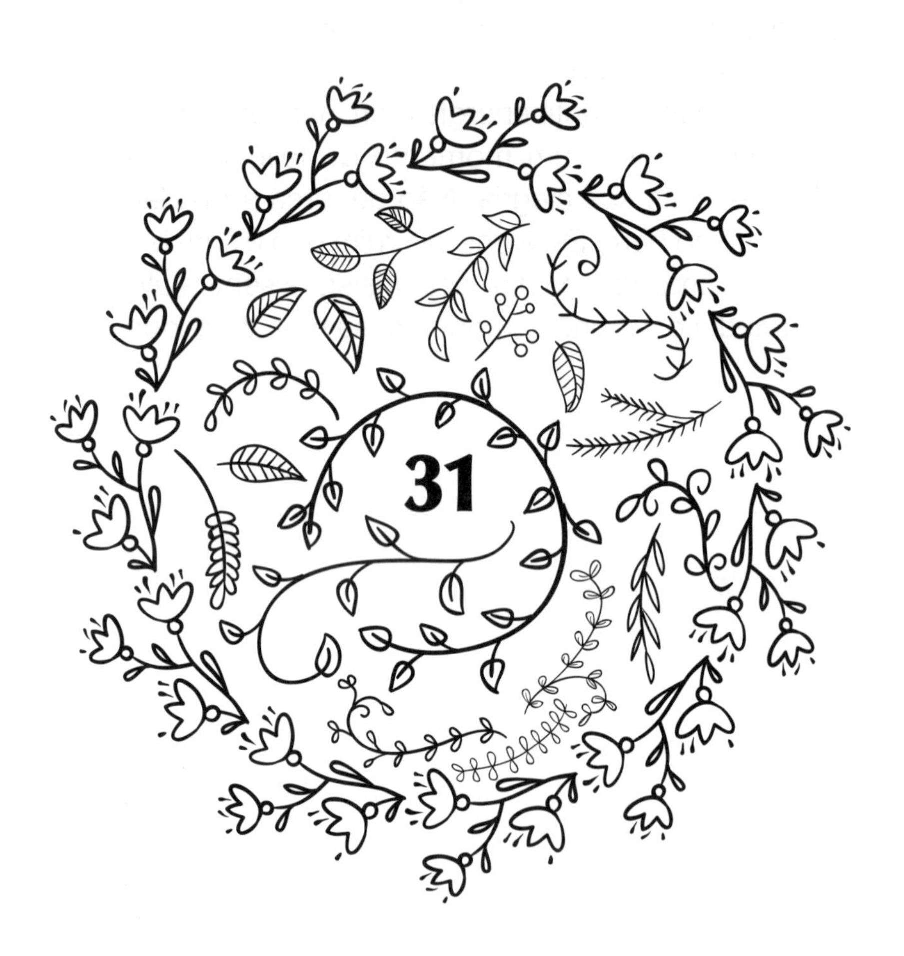
31

Você escolhe como quer viver

Lucius é meu amigo espiritual que, além de ditar os romances que escrevo, costuma passar pequenas mensagens que nos estimulam a pensar. Essa é uma delas:

"Nada falta para quem precisa. Embora o sol não esteja à vista em certos momentos, lembre-se de que, apesar do que parece, ele continua no mesmo lugar.

Ele está lá, belo e brilhante, a afirmar a beleza da vida e a grandeza de Deus. Portanto, não se deixe enganar pelas aparências.

Para você, o bem pode não estar visível em certos momentos, mas ele, mesmo assim, continua agindo, distribuindo sua luz, colocando cada coisa no devido lugar.

Um abraço, Lucius"

Nos últimos tempos, as tempestades e a escuridão têm encoberto o sol, mas apesar disso é bom lembrar que ele, além de continuar no mesmo lugar, sempre volta a iluminar.

Diante dos desafios do dia a dia, envolvidos pelas aparências, mergulhamos no desalento, agravando os problemas, dificultando a solução.

A fé é uma força que nos ajuda a sair dessa atitude prejudicial, recuperar a serenidade e, com ela, ter maior possibilidade de encontrar uma boa saída.

Quem tem fé fica forte e não se abate com facilidade. É uma conquista que passa pelo esforço de buscar as provas que vão transformar a dúvida em certeza. Pode levar tempo, mas quem consegue torna-se forte e, seja qual for o desafio, encontra forças para superá-lo.

Em meu contato com os espíritos, tenho recebido mensagens curtas, recados que fazem refletir e auxiliam a viver melhor. Este que vou passar agora é de alguém que não assinou, mas achei interessante:

"Em cada caminho uma luz, em cada porta uma chave, em cada momento uma necessidade.

É bom saber escolher seu caminho, encontrar a porta certa e colocar a chave na fechadura.

Mas abrir ou não, é você quem escolhe."

Depois da morte, muitos espíritos, quando se sentem bem, dedicam-se a esclarecer os que esqueceram o passado e vivem na Terra, presos aos vínculos do mundo material.

Inspiram ideias, pensamentos, escrevem lembretes que nos incentivam a aproveitar o presente, fazem lembrar que um dia voltaremos a viver no astral.

A vida nos oferece tudo, nos acompanha sempre, cuidando do nosso amadurecimento. Oferece-nos todas as oportunidades, mas não faz a parte que nos compete.

A conquista da evolução é responsabilidade de cada um. Para esse fim, foi-nos concedido o livre-arbítrio. Nós somos donos do nosso destino. Escolhemos e colhemos o resultado de nossas escolhas. É uma maneira sábia e eficiente de ensinar.

No fim, apesar de tudo, progredir ou estacionar, ser feliz ou infeliz, é você quem escolhe.

32

Domingo de Páscoa

Domingo de Páscoa. Neste dia, os judeus comemoram a saída do Egito, e os católicos, a ressurreição de Jesus. Será que em nossos dias as pessoas realmente celebram os preceitos religiosos?

Os tempos mudaram. Hoje ninguém mais deixa de comer carne na Quaresma e a Páscoa é festejada com a troca de presentes e ovos de chocolate.

Entretanto, o que permanece é o almoço em família. É muito prazeroso quando as pessoas se estimam, trocam experiências e carinho, reforçando os laços de amizade.

Nem sempre é assim. Para alguns essas reuniões são tidas como obrigação. A presença daquele parente desagradável torna o ambiente ruim e faz com que, cumprida a tarefa, as pessoas sintam alívio ao ir embora.

Os filhos se obrigam a ir porque não querem aborrecer a mãe, que se prepara com antecedência para o almoço e faz questão da presença de todos, mesmo sabendo que alguns não se entendem bem. Mas ela sempre tem esperança de que desta vez seja diferente. De que aquele que exagera na bebida e se torna inconveniente fique sóbrio. De que a filha que é muito ciumenta não brigue com o marido, de que a nora, cuja especialidade é criticar os parentes, dê uma folga, não provoque a ira dos demais, e de que cada um seja diferente.

Com essa esperança, essa mãe fica tensa o tempo todo, vigiando cada um, pensando evitar assim o que teme. Ela ignora que o medo acaba sempre atraindo exatamente o que se deseja evitar e tudo continua igual.

Uma família harmoniosa é rara. Só acontece quando todos os seus membros são espíritos evoluídos. Mas a vida faz exatamente o contrário. Ela junta os extremos a fim de que uns aprendam com os outros.

Aquele filho problemático que nasceu em uma família certinha, a filha sem juízo que envergonha a todos não estão lá por acaso. Foram colocados lá para quebrar o preconceito dos pais e, ao mesmo tempo, aprender os valores verdadeiros que eles já possuem.

A pessoa preconceituosa não percebe seus pontos fracos, julga-se melhor do que as outras. Como pais, amam seus filhos e, numa experiência dessas, tornam-se mais tolerantes com as diferenças.

O amor dos pais, os valores de família e o exemplo de uma vida mais equilibrada oferecem a chance de esses filhos mudarem para melhor.

Pense nisso no almoço de domingo. Seja o elemento ativo na construção do bem. Observe as qualidades de todos, especialmente daqueles que costuma criticar. Você também tem pontos fracos. Aceite as pessoas como elas são. Envolva-as com energias de carinho. O amor faz milagres. Expressar amor é homenagear Jesus. Não é essa a verdadeira celebração da Páscoa?

33

A importância de conhecer-se melhor

Todos nós formamos uma imagem da nossa personalidade, das qualidades e dos pontos fracos que temos, e acreditamos que ela seja verdadeira. Contudo, algumas vezes somos surpreendidos quando alguém externa sua opinião a nosso respeito, muito diferente do que imaginamos ser.

A opinião dos outros é relativa, uma vez que ninguém pode entrar em nosso íntimo, perceber nossos reais sentimentos. Mas pode também acontecer de nosso julgamento não ser claro o bastante e estar dividido entre o que somos e o que gostaríamos de ser.

O autoconhecimento é fundamental para você poder direcionar suas escolhas de maneira adequada e progredir em todas as áreas de sua vida. Quer conhecer-se melhor?

Vá para um lugar sossegado, feche os olhos e imagine que está entrando no seu coração. Sinta como está seu mundo interior. Faça as seguintes perguntas, uma a uma, e anote as respostas:

1) Como você se vê?
2) Que opiniões tem sobre sua vida?
3) Relaciona-se bem com os outros?
4) Que lados de sua personalidade você gosta de mostrar?
5) Que lados seus encobre a todo custo?
6) Por quê?
7) Como vai sua ousadia?
8) Quais os seus medos?
9) Enfrenta seus pontos fracos e tenta melhorar?
10) Assume seus erros?
11) Tem vergonha de dizer não?
12) Como você vê a vida?
13) O que precisa para ser feliz?
14) O que significa o dinheiro para você?
15) Acha que merece ter uma vida próspera e feliz?

Acrescente outras indagações que surgirem durante o processo. Não tenha pressa. Também poderá dividir as perguntas em vários exercícios. Conforme as respostas que obtiver, poderá aprofundar-se nelas, sem racionalizar, sempre indo mais fundo nos seus sentimentos. O raciocínio pode refletir o automatismo subconsciente de falsas crenças aprendidas, que não foram questionadas e continuam influenciando seus pensamentos.

Se você não está satisfeito com sua vida e deseja melhorar seu padrão, terá que se dedicar e cuidar do seu mundo interior. Aprender seus limites, valorizar qualidades, melhorar sua autoimagem e seus pontos fracos. Abrir sua mente, aprimorar seus conhecimentos no que puder, desenvolver seu senso de beleza através da arte, descobrindo a grandeza desta oportunidade que lhe está sendo oferecida, a fim de que possa, dessa forma, cumprir a sua parte no objetivo maior que a vida tem: a elevação do seu espírito.

De todas as conquistas que você pode obter, essa é a mais importante, porquanto todas as coisas deste mundo são transitórias: só seu espírito é eterno. E, ao partir de volta ao mundo espiritual, estará livre do peso limitante da própria ignorância, levará consigo todo o conhecimento adquirido, se sentirá muito melhor.

34

Por que tudo dá errado na sua vida?

Das inúmeras cartas e e-mails que recebo, escolhi responder e reproduzir aqui no livro esta, em especial. Tenho certeza de que alguém vai se identificar com a questão.

"Estou desempregado, brigo com a namorada, dá tudo errado na minha vida."

Desanimado, você me pediu ajuda. Esse é o momento de parar, ir fundo na busca das causas dos seus problemas, analisando seu mundo interior.

Os acontecimentos de sua vida são programados pelas suas escolhas. A forma como você se vê e vê a vida determinam suas atitudes e criam os fatos que está vivenciando. Identificar as atitudes que estão atraindo experiências ruins é o primeiro passo.

Com relação ao desemprego, medite sobre a lei maior para o sucesso: valorização! Essas são algumas regras:

1) Autovalorização. Acreditar que é capaz, interessar-se em aprender mais para melhorar o desempenho e ter salário melhor.

2) Valorizar as oportunidades que aparecem, sem preconceitos nem vaidade.

3) Valorizar o trabalho caprichando sempre, até nos pequenos detalhes, fazendo um pouco mais do que lhe pedem.

4) Valorizar o dinheiro, evitando desperdícios, mesmo com o que não lhe pertence.

5) Evitar fofocas, ser discreto, respeitar os colegas, valorizar a empresa que lhe deu a oportunidade.

Se seus caminhos estão fechados, foi você quem os fechou com suas crenças e atitudes. A vida responde ao que você lhe dá. Ela o trata como você se trata. Ao desvalorizar-se, você está dizendo para a vida que vale menos, e terá menos. Quando não sabe a própria capacidade, pode se atribuir um valor maior do que tem, revoltar-se por pensar que não está sendo reconhecido e querer mais do que vale. A pretensão não é valorização, é ilusão e leva ao fracasso.

O que traz realização interior é o capricho, é o prazer de realizar um trabalho bem-feito, por mais simples que seja. A realização interior dá satisfação, aumenta a confiança em si, dá motivação para fazer mais e melhor. Essa disposição ajuda a progredir, abre as portas a novas oportunidades.

A boa vontade, a participação com interesse, garante o emprego. Na hora do corte, quem vai embora é aquele que não coopera, que não se interessa em progredir e contribuir para que a empresa cresça e melhore seu desempenho.

O dinheiro é um valor precioso que garante a dignidade da própria independência. Deve circular. Pague suas contas com prazer, dando graças a Deus por ter o dinheiro.

Todo desperdício é desvalorização do dinheiro. Cuidado com o que você estraga, joga fora, gasta sem necessidade, ainda que pareça não fazer falta ou que não lhe pertença. A economia divina vai lhe cobrar isso. O respeito com tudo e todos traz prosperidade. Pense em tudo isso e comece já a mudar os conceitos inadequados. Faça isso e seu relacionamento com a namorada vai melhorar.

35

Medo da morte

A maioria das pessoas tem medo da morte. Mesmo aqueles que acreditam na sobrevivência do espírito, ao pensar nisso sentem receio por ignorar como e quando ela se dará.

Mas eu descobri que, se os que vivem aqui têm medo de morrer, os espíritos que vivem no mundo astral têm um medo muito maior quando chega a hora de nascer.

Morrer é voltar para a casa que deixamos ao vir para cá. É reencontrar amigos, pessoas queridas, retomar lembranças, projetos, avaliar o desempenho da nossa estadia na escola da Terra.

Ao reencarnar aqui, o espírito esquece o passado, que permanece guardado em seu inconsciente. Vivendo aqui, ele tenta fazer tudo igual lá. Assim, nossa sociedade, costumes, tudo é semelhante ao que há no mundo astral. Nem poderia ser diferente, porquanto tanto lá como cá o espírito continua sendo o mesmo.

Na vida astral o espírito se refaz, estuda, evolui. Até que começa a sentir algumas mudanças e fica sabendo que está na hora de reencarnar. Conforme o nível espiritual e suas necessidades, ele se prepara. Quando seu corpo astral se liga ao óvulo fecundado da mãe, o esquecimento do passado começa. O corpo astral é o organizador biológico do corpo em formação, que vai refletir as lesões que ele tiver. É o caso de quem nasce com deficiências físicas.

Espíritos com medo de nascer têm revelado seus medos. É penoso deixar uma vida estabilizada, mergulhar na carne, esquecer o passado, ficar inteiramente dependente dos outros.

Alegam que os pais ignoram os planos que fizeram para esta vida e sempre procuram levá-los para outros caminhos. Os professores, os familiares interferem, ignorando a vocação e os interesses que o espírito traz e, mesmo com boa intenção, criam limitações e obstáculos no seu caminho.

Sabem que no mundo terreno a influência da matéria densa, unida ao esquecimento de outras vidas, faz com que o espírito se revele tal qual ele é.

Diante disso, pode acontecer de alguns pontos fracos que ele acreditava já ter superado reaparecerem e ele voltar a cometer os mesmos erros de antes, revelando que ainda não estava pronto para seguir adiante.

Ao reencarnar, o espírito fica inconsciente durante certo tempo e não tem certeza dos resultados. Está sobre o fio da navalha. Se vencer, dará um passo à frente, mas se fracassar, terá que fazer tudo de novo. Levará mais tempo, terá mais sofrimento.

É melhor aproveitar a estadia aqui para melhorar o desempenho em todas as áreas. Acreditar na vida, dizer não à maldade, valorizar o bem, assumir a responsabilidade que nos cabe. Dessa forma, não teremos como fracassar.

36

Eles continuam entre nós

Os seres que viveram aqui continuam vivendo em outras dimensões do Universo. Desde o início da nossa civilização, têm se esforçado para nos mostrar a eternidade do espírito.

Atuam no mundo físico, provocam fenômenos para nos provar essa realidade. A Bíblia está repleta desses fatos, alguns chamados de milagres, mas que são naturais e continuam acontecendo nos dias de hoje.

Sonhar que está voando sobre a cidade adormecida, conversar com pessoas queridas que já morreram, ver (mesmo com os olhos fechados) rostos, luzes, fatos e pessoas, prever acontecimentos, é comum na vida das pessoas.

Algumas se surpreendem, julgam estar sendo vítimas de uma alucinação, não contam nada a ninguém com receio de passar por loucas.

Muitas delas me confidenciaram terem passado por essas experiências quando, em meu programa de rádio, pedi aos ouvintes que me relatassem fatos reveladores da intervenção dos espíritos. Confiaram em mim porque sabiam que eu as entenderia e deram permissão para que publicasse seus relatos revelando sua identidade.

Tantos foram os casos que recebi, que não foi possível publicá-los todos nos livros *Eles continuam entre nós 1 e 2*.

É comovente saber que os seres queridos que partiram continuam a nos amar, a fazer o que podem para nos proteger, auxiliar e encorajar sempre que precisamos.

É gratificante descobrir que espíritos mais evoluídos inspiram os que se esforçam para ficar no bem, e que, apesar das aparências, quando a maldade parece levar algumas vantagens, a vida, com sabedoria, no final vai colocando cada coisa em seu devido lugar.

Quanto mais eu olho em volta, estudo o comportamento das pessoas, acompanho o seu desempenho, mais aprendo sobre essa sabedoria que trabalha em silêncio, sensibilizando e ensinando sempre o melhor caminho.

Se você, ao ler este texto, tiver passado por uma experiência em que ficou clara a interferência de um espírito desencarnado, escreva-me contando em detalhes, para que eu possa analisá-la e posteriormente publicá-la, desde que seja enviada a permissão para que a sua identidade seja revelada.

Esses fatos precisam ser divulgados. Recebi cartas e e-mails de pessoas sofridas, que viveram tragédias, perderam familiares, leram meus livros e se sentiram confortadas, encorajadas a reagir e tocar a vida pra frente.

Quem recebe uma revelação dessas não pode guardá-la só para si. Tem o dever de dividi-la com os demais, sem se importar com a descrença de quem ainda não está pronto para ver a verdade. Faça a sua parte, sabendo que um dia eles também vão chegar lá.

37

Momentos difíceis

De repente, você começa a notar que alguma coisa não está bem. Sente insatisfação, sem que nada significativo tenha acontecido, dores musculares, mal-estar, pensamentos depressivos, medo, como se fossem lhe acontecer coisas ruins.

Esses sintomas estão acontecendo não apenas com você, mas também com outras pessoas, criando um clima depressivo e desagradável.

Meus amigos espirituais, com os quais mantenho encontros semanais, têm nos explicado que estamos vivendo momentos difíceis. Espíritos desencarnados ignorantes, presos ao mundo material, se recusam a deixar a crosta terrestre e interagem com os encarnados, sugam suas energias para se manterem, intrometem-se na vida dos familiares que ficaram, unem-se aos grupos dos viciados e dos fora da lei, incentivando maldades.

Todavia, esclarecem que eles só conseguem envolver quem acredita que a violência resolve seus problemas, que a vingança é um direito e que ludibriar os outros é comum, desde que ninguém saiba.

Ao julgar-se vítima da maldade alheia, a pessoa abdica do próprio poder e torna-se vulnerável ao domínio e à manipulação de entidades perversas.

É assustador e você deve estar se perguntando por que Deus permite essa invasão da nossa privacidade. Acontece que você é livre para escolher, mas, ao fazê-lo, programa o resultado que vai colher. É você quem cria todos os fatos de sua vida. É a sabedoria da vida, colocando em suas mãos a responsabilidade de dirigir o próprio destino.

Os bons espíritos nos alertam que a única forma de conservarmos nossa imunidade é nos ligarmos com o nosso espírito, que guarda dentro de si a essência divina individualizada: vá para um lugar sossegado, relaxe e peça ao seu espírito que se manifeste. Logo vai sentir uma energia agradável dentro do seu peito. Mergulhe nela. É uma sensação confortável que dá vontade de ficar lá. Peça inspiração para entender o que é melhor para você no momento. Você se sentirá revigorado, com vontade de fazer o bem, de cantar, de trabalhar.

Quando você se sentir mal, esteja certo de que está captando as energias perturbadas e doentias de seres desequilibrados, que podem ser encarnados ou não. Recolha-se, relaxe, jogue fora todos os pensamentos ruins, ligue-se com seu espírito e recupere o equilíbrio.

É preciso insistir com firmeza, porque no seu subconsciente há condicionamentos antigos que se manifestam espontaneamente e vão interferir. Reaja, fique firme, continue com o exercício que é novo e precisa ser absorvido.

Experimente. Seja um vencedor! Durante séculos os ensinamentos espirituais foram sendo divulgados e hoje a vida está testando o aproveitamento de cada um.

38

A vida não erra

A primeira responsabilidade de quem reencarna na Terra é cuidar da própria evolução. Com essa finalidade, enfrentamos o esquecimento do passado, recebemos um corpo que nos permitirá interagir neste planeta e, com ele, um cérebro novo que, como um filme virgem, registrará novos conhecimentos que nos serão ministrados durante a fase da primeira infância.

Esse é o período mais favorável para que os pais e educadores observem as tendências do espírito, trabalhem os pontos fracos, semeiem os valores éticos e espirituais, porquanto eles serão aceitos como verdadeiros e ficarão gravados. Na adolescência, com a reencarnação consolidada e o corpo físico desenvolvido, o espírito, embora não retome a lembrança clara do que foi em suas vidas passadas, será pressionado pela sua antiga personalidade, que deseja assumir o controle.

É um momento de decisão: ele poderá escolher retomar atitudes e conceitos antigos que o levarão a cometer os mesmos erros, permanecer em um círculo vicioso, frustrar suas chances de progresso. Contudo, se durante a infância ele recebeu a educação adequada, que deixou claro seus pontos fracos e fortaleceu sua formação ética e espiritual, esse espírito terá elementos para atuar, enfrentar seus desafios com coragem, gerenciar suas emoções e vencer.

Ainda não temos uma escola para os pais, e os educadores nem sempre percebem a importância de sua profissão. Nesse processo, a maior responsabilidade é do espírito, que, ao receber a chance de reencarnar, foi esclarecido sobre a parte que lhe compete realizar, mesmo quando está dificultada pelos erros do seu passado.

Para evoluir, o espírito precisa se colocar em primeiro lugar, diante de si mesmo. Conhecer-se intimamente. Estudar suas crenças, questioná-las, sentir até que ponto são verdadeiras. Analisar seus sentimentos, reconhecer suas qualidades com humildade, ser honesto com o que acredita e dizer não quando for preciso. Olhar a vida com otimismo, aceitar as diferenças sem julgamento, observar como a vida responde a cada um conforme a necessidade. Assumir que é responsável por tudo quanto lhe acontece, saber que tem o poder de mudar, escolher melhor como dirigir sua vida.

Se sua vida não vai bem, se durante a infância não teve uma boa educação, se seus pais foram omissos, deixe de jogar a culpa sobre eles e colocar-se como vítima. A vida não erra e cada coisa está como deve ser. Certamente você está colhendo o resultado de suas escolhas. Não se culpe por isso. Se reconhecer que tem o poder de mudar sua vida e ligar-se com as energias divinas, conquistará o equilíbrio. Estou torcendo por você!

39

A qualidade das energias

Quando você se aproxima de alguém, suas energias vão junto. Ao pensar em uma pessoa, já projetou suas energias sobre ela e houve uma troca energética.

Todas as coisas e pessoas vivas possuem uma essência espiritual que sobrevive depois que sua estadia na Terra termina. Essa transformação faz parte da natureza.

O mundo material é energia condensada, construído pela vida para facilitar o progresso do espírito, que estagia no planeta para obter conhecimento e sabedoria.

Deus nos criou simples e ignorantes, mas à sua semelhança, tornando-nos eternos. Deu-nos tudo de que precisamos para conquistar o próprio progresso.

Tudo no Universo é energia, e a transformação delas é resultado das múltiplas trocas entre o nível de conhecimento de cada um e as forças reguladoras da natureza.

Você pode testar essa realidade, prestando atenção ao que sente, observando como elas atuam em tudo e em todos.

Você nunca viu uma planta que estava saudável secar de um dia para o outro? Ao conversar com uma pessoa, você de repente se sentiu indisposto, irritado, triste ou desanimado sem motivo aparente?

Algumas pessoas são nutritivas e outras sugadoras. Essas últimas, quando se aproximam, provocam desânimo e fraqueza. Nada dá certo para elas, porque os outros sentem algo ruim quando se aproximam delas e acabam se afastando.

A qualidade da nossa energia depende das crenças que mantemos. Ela é influenciada pela maneira como olhamos a vida e pode ser modificada. Sentimentos nobres elevam nosso padrão energético, enquanto os mesquinhos produzem energias ruins.

Nosso espírito tem a responsabilidade de gerenciar os próprios pensamentos para elevar sua frequência. O otimismo, a ética, o respeito à ordem, a confiança em si e na vida se traduzem em sucesso e evitam a captação das energias ruins que circulam em volta.

Nem sempre é fácil evitá-las, uma vez que estamos rodeados de pessoas indisciplinadas, arrogantes, que acreditam que podem abusar dos outros e burlar as leis humanas, desde que ninguém descubra. Além da pressão energética do pensamento humano, há ainda as influências dos desencarnados que circulam ao redor, cujas energias também podemos captar. Não são só os médiuns que recebem essas influências. A troca energética é lei natural e a captação acontece pela afinidade.

Se já tivéssemos conseguido equilibrar nossos pensamentos, seríamos imunes às energias ruins, mas como ainda temos pontos fracos, as atraímos. À medida que melhoramos nossas atitudes e elevamos nosso padrão energético, obtemos mais felicidade e paz. Não acha que vale a pena tentar?

40

Tempos modernos

Hoje o tempo está acelerado, as mudanças têm ocorrido com rapidez. Há mais progresso tecnológico proporcionando mais conforto, a longevidade aumentou, muitas doenças estão sob controle, a qualidade de vida melhorou. Mas as pessoas não estão felizes e em paz.

É que a oferta de bens fez surgir o consumismo exagerado. Todos desejam obter as novidades, seja do que for. Novas descobertas estão sendo feitas e novos produtos surgem a cada dia, acrescidos de pequenas inovações. Ocorre que quem já tem os anteriores deseja trocá-los.

As pessoas se esforçam para progredir no trabalho, melhorar seu poder aquisitivo. Os que podem compram todas as novidades. Mas muitos dos que não conseguem, por não ter dinheiro, revoltam-se porque outros conseguiram e enveredam pelo caminho do crime.

Nesse vale-tudo, a ambição desmedida forma traficantes de droga, assaltantes, viciados, cuja crueldade tem levado o pavor a toda a população.

Assim, as conquistas que deveriam trazer bem-estar, atropeladas pela ignorância, inverteram a situação, estabeleceram o medo, paralisaram as pessoas de bem, que permanecem trancadas em casa, enquanto os bandidos continuam agindo. É muito triste isso.

É hora de mudar. Os sinais positivos dessa mudança já estão aparecendo. Enquanto as autoridades estão assumindo mais o controle da situação, enfrentando os problemas com rigor, é preciso também que os legisladores, os chefes de governo, tenham a mesma coragem de agir diante das transgressões e assumam com realismo sua responsabilidade para com a sociedade.

Que os políticos deixem de lado seus interesses pessoais e se dediquem à boa gestão, fazendo a parte que lhes compete com idealismo e dedicação.

Não é apenas a população que precisa e deve cooperar. Também os que foram colocados pela sociedade na posição de comando, em qualquer setor do país, precisam desempenhar suas funções visando ao bem-estar social.

A nossa cooperação pessoal precisa ir além do voto nas eleições. A conquista da paz tem um preço que cada um de nós deve pagar. Temos de contribuir para melhorar a nossa rua, o nosso bairro e respeitar o bem-estar dos vizinhos. Estar bem informados sobre os problemas e apoiar as soluções que beneficiem a maioria, seja na educação, na saúde, no entretenimento, no esclarecimento das pessoas. Dedicar parte de nosso tempo livre a um trabalho voluntário. Usar o nosso bom senso. Conter o exagero: no consumo, na queixa, na crítica, no julgamento. Não cobrar dos outros, fazer a nossa parte.

Se cada um fizer o que lhe cabe, em breve tudo se modificará, poderemos usufruir do progresso com bem-estar e viver em paz.

41

Cultivando o otimismo

Estamos vivendo um momento em que precisamos nos esforçar para não entrar nas energias negativas que nos rodeiam e trabalham para nos fazer baixar o padrão emocional a fim de nos envolver, sugar nossas energias, nos manipular.

É hora de apelarmos para o bom senso, cultivarmos o otimismo e, embora o mundo à nossa volta esteja repleto de violência e de sofrimento, não entrarmos neles.

Você deve estar se perguntando: "Tomando conhecimento de tantas desgraças, como é possível conservar o otimismo?". Eu lhe respondo que isso é possível.

Nós somos pessoas de fé, acreditamos na perfeição da vida. Sabemos que ela responde a cada um segundo suas atitudes. A violência, a maldade, o egoísmo são escolhas de pessoas iludidas, que ignoram os valores éticos, espirituais, não respeitam o direito dos outros, imaginam obter vantagens explorando as fraquezas alheias.

É uma situação temporária e todos eles, a seu tempo, pagarão muito caro por essas ilusões.

Se você olhar à sua volta, observar pessoas, analisar suas atitudes e os desafios que elas enfrentam, vai perceber claramente como a vida funciona, ensinando a cada um o que precisa aprender.

As leis divinas objetivam a evolução do espírito. Nós estamos estagiando na Terra para aprender como elas funcionam. No mundo astral, lembramos nossas vidas passadas, estudamos nosso desempenho, somos aconselhados por mentores espirituais elevados, aprendemos a controlar nossos pensamentos, fazemos projetos de melhoria. Mas aqui, na Terra, esquecidos temporariamente do passado, sob a ação do mundo material, nosso nível espiritual vai se revelar.

Na nova encarnação, recebemos um cérebro virgem, onde registraremos nos primeiros sete anos de vida os valores que os pais e educadores semearem. Mais tarde, na adolescência, de posse da nossa personalidade anterior, eles irão influenciar a manifestação dos nossos pontos fracos. Ensinar valores éticos e espirituais na primeira infância é fundamental ao progresso do espírito.

Como cada um é responsável por suas escolhas, não existe vítima. Isso não nos dá o direito de julgar. Mas a dor e o sofrimento nos comovem e, se pudermos aliviar os envolvidos, o faremos de coração. Quando não temos como fazer nada, é melhor não nos envolvermos, para não captarmos energias negativas, ficarmos mal, sem benefício para ninguém.

Sabendo de tudo isso, se ficar firme no bem, acreditar que Deus está no leme e nunca erra, você aumentará a sua imunidade e evitará que o mal cresça. Estará trabalhando a favor da vida. Faça isso e ela o abençoará.

42

Aproveitando o domingo

Depois de tanta tensão, que tal usufruirmos de um domingo de lazer, de paz, estarmos juntos com os que amamos, trocarmos um pouco de carinho e alegria? Afinal, nós merecemos!

Temos nos esforçado para contribuir com as boas causas, respeitado as leis, procurado não prejudicar ninguém, fazer a nossa parte com coragem e dedicação. Nós, as pessoas comuns, somos assim. Queremos desfrutar das coisas boas, trocar experiências com pessoas interessantes, aprender mais sobre a vida, ser aceitos, amados e bem-vistos por todos.

Essa é a nossa realidade. É o que se passa em nosso mundo interior. Quem não teve na vida um momento de troca afetiva, de ternura e de prazer que ficou gravado para sempre na memória? São pequenas coisas que tocaram nossa alma e, quando nos lembramos delas, sentimos a mesma emoção. O bem sempre traz uma energia boa.

Então por que muitas vezes entramos em papéis complicados, querendo aparentar o que não somos, iludidos com as aparências? A simplicidade tem a força do que é verdadeiro. Ser o que é provoca valorização e respeito.

Será que você se conhece intimamente? Sabe quais são suas qualidades e admite seus pontos fracos? Aceita que não existe duas pessoas iguais, que você é diferente, único, original?

Esse é um trabalho que cada um precisa fazer se quiser progredir e obter sucesso em todas as áreas de sua vida. Ser humilde é ser simples e independe da situação social. É uma conquista do espírito. Quem já aprendeu isso, pode ser mendigo ou rei, se destacará dos demais e será respeitado. É uma condição natural que leva à realização interior, harmoniza o ser, faz com que o espírito manifeste toda a força do seu amor que lhe dará coragem para enfrentar os grandes desafios, sem perder a alegria, a paz e o prazer de viver.

Vez por outra aparece alguém que já está nesse patamar e, com seu exemplo, nos motiva a buscar o caminho da elevação espiritual. Não pense que ele seja um espírito muito superior. Todos nós, encarnados na Terra, temos a mesma chance. E, em todos os momentos, todos os dias, estamos sendo chamados pela vida, através dos desafios e dos bons exemplos de muitos, a sair do conformismo, fazer o nosso melhor e acreditar em nossa capacidade.

Hoje é domingo e você quer mesmo é estar em paz, trocando carinhos com quem você ama, jogando conversa fora com os amigos, usufruindo bem-estar. Aproveite, seja simples. Para ser verdadeiro, você não precisa apontar os defeitos dos outros e, mesmo que alguém mencione alguma falha sua, diga apenas que não é errado errar e que não teve intenção de prejudicar ninguém. Assim estará sendo simples e verdadeiro. Faça do seu domingo um dia feliz!

43

Cada um é um

O que é é! O que não é não é! Essa é uma frase que um amigo espiritual costuma dizer, que parece simples, mas reflete uma realidade que costumamos ignorar. Cada um tem uma forma própria e pessoal de ver a vida, criada pela maneira como interpreta os acontecimentos.

Alguns fatores interferem nesse processo. Ao surgir um novo desafio que precisa ser enfrentado, experiências frustrantes, erros involuntários, situações mal resolvidas do passado reaparecem fortes, provocando temor, distorcendo os fatos, impedindo uma visão clara, fazendo com que você pense logo no pior. Dando força a esses pensamentos, você tem a sensação de que está se prevenindo contra o mal, impedindo-o de se manifestar.

Agindo assim, você estará mascarando a verdade, evitando enxergar a melhor solução. O melhor será reagir às impressões do passado, controlar seu emocional, e evitar seu lado dramático, que exagera os fatos. Depois, esforçar-se para cultivar o otimismo, acreditar em sua capacidade de resolver as coisas de maneira adequada. É o que precisa fazer para conseguir um bom resultado.

Falsas crenças aprendidas também influenciam as pessoas, infernizando sua cabeça com pensamentos negativos que insistem em permanecer obscurecendo o raciocínio. Reaja. Não se deixe dominar por eles. Enfrente-os, não lhes dê importância, substitua-os por outros, positivos, insista neles. Acredite, se esforce e se libertará.

Liberte-se das influências do passado. Lembre-se de que cada desafio que surge em sua vida é um fator novo, próprio do momento que está vivendo. Estão querendo abrir seu entendimento e ensinar-lhe alguma coisa nova. É hora de se perguntar: o que a vida quer me ensinar com isso?

Quase sempre sua intuição lhe dará a resposta, mas se ela não vier, você pode se ligar com Deus, pedir inspiração. Enfrente seus medos. Sinta que você está preparado para enxergar a verdade sem sofrer, seja ela qual for, que está disposto a aprender sua lição e seguir em frente, fazendo sempre o seu melhor.

Quantas vezes você teve medo de alguma coisa que nunca aconteceu? Quantas vezes a vida o surpreendeu com algo bom? Nós estamos escrevendo o futuro todos os momentos por meio de nossas escolhas. E a garantia do sucesso está em sabermos agir de acordo com as leis divinas, que promovem o equilíbrio do Universo e trabalham a favor da evolução de nosso espírito. Apertar o botão certo para ter sucesso e ser feliz só vai acontecer quando deixarmos de inverter os fatos e acreditarmos que a verdade, ainda que possa ser dura, nos levará para o melhor. Ela abre nossos olhos, nos ensina o que precisamos aprender, aumenta nossa lucidez e melhora nossas escolhas.

Não é do que precisamos para evoluir?

44

Depressão

A depressão é fruto da insatisfação. Se você vive infeliz, perdeu a alegria de viver e deseja encontrar uma saída, o primeiro passo é deixar a cômoda posição de vítima, seja lá do que for, e assumir a responsabilidade por sua vida. Ninguém é vítima. As pessoas colhem os resultados de suas atitudes. Se não acredita, observe as atitudes de pessoas de sua intimidade, analise os fatos que ocorrem em suas vidas e notará com clareza a ligação entre as escolhas que fizeram e os fatos que estão vivendo.

Se você está infeliz, se as coisas não saem como deseja, analise sua maneira de se ver, de ver a vida, e como interpreta os acontecimentos do dia a dia. Se insisto nesse ponto, é porque não há outro caminho para reverter a situação. As falsas crenças, que acreditamos serem verdadeiras, distorcem a visão daquilo que é, dificultando o entendimento.

Você está dentro de um círculo vicioso do qual não enxerga a saída. Se não reagir, não fizer uma análise cuidadosa do que acontece em seu mundo interior, vai atrair maiores desafios, até que não suporte mais e aceite mudar.

A vida tem como sagrado objetivo a evolução dos seres. Nosso espírito estagia na Terra para desenvolver nossos potenciais, aprender a gerenciar nosso mundo interior, conquistar felicidade, sabedoria e trabalhar a favor da vida, contribuindo para o equilíbrio do Universo.

Nosso espírito é eterno, somos parte da essência divina. Nosso destino é o progresso e a luz, mas a conquista de tudo isso é nossa responsabilidade. A vida dispôs todas as condições, mas quer que cada um viva sua experiência e descubra os caminhos que levam ao objetivo.

Nada substitui a experiência. Portanto, ninguém pode aprender sem experimentar. Ser sem conquistar. Ter sem pagar o preço da aprendizagem. O fracasso é temporário. A alegria, o prazer, a felicidade vêm da alma. As pessoas e a sociedade podem lhe oferecer tudo e você continuar infeliz.

A depressão é um estado interior de insatisfação, provocado pela obstrução da expansão do seu espírito. A natureza o impulsiona a evoluir, seu espírito anseia crescer, realizar-se. Quando você o impede, sente-se infeliz e não há nada que possa satisfazê-lo.

Seu espírito quer tornar-se mais consciente, mais verdadeiro, reciclar seus valores, fazer coisas novas, contribuir para o progresso de todos, sentir a própria nobreza, amar. Não o impeça. Você é muito mais do que pensa. Valorize-se. Os limites é você quem põe. Abra seu coração sem medo. Ignore o mal, olhe o lado bom. Para colher felicidade, basta apenas aprender a maneira adequada de plantar.

45

A inveja atrapalha?

Uma leitora pergunta: "Dizem que sou uma moça bonita, de boa aparência, inteligente, aprendo tudo com facilidade. Procuro fazer tudo certo. Mas meus planos dão errado, não consigo progredir. Será por causa da inveja dos outros?".

A inveja é um elogio dissimulado. O invejoso deseja ser igual a você. Nem sempre há a vontade de prejudicá-lo.

Por outro lado, será que você é tão maravilhosa assim, que as pessoas a invejam? Atrás desse pensamento, não está o desejo de parecer grande, maravilhosa?

Só desperta inveja quem é muito bom. Imaginar que é invejada pode ser uma maneira de encobrir seu medo de fracassar. Você é capaz; o problema está nos outros. Eles é que são culpados por seus fracassos. Essa postura revela o receio de não ser boa o suficiente. No fundo, você não acredita na própria capacidade.

Sendo assim, seus projetos não têm a clareza e a determinação que levam ao sucesso. Para ser bem-sucedida na vida, é preciso mais do que boa aparência e bom nível de inteligência. É preciso assumir que você é inteiramente responsável pelo que lhe acontece. Que se as coisas não estão dando certo é porque você não está agindo adequadamente.

A inveja pode ser para você uma justificativa, uma maneira de não tomar consciência de atitudes suas, que a estão limitando. Procure sentir se, no anseio de acertar, você não está sendo demasiadamente exigente consigo mesma, não se permitindo errar, não aceitando suas fraquezas. Por esse motivo, quando algo sai errado, culpa os outros: a situação, o país, o patrão, os parentes etc.

Sempre que você faz isso, você transfere seu poder de ação aos outros. Eles é que têm o poder de movimentar sua vida. Saia dessa ilusão. Só você pode escolher o que quer fazer e cuidar do seu progresso. Assuma sua responsabilidade. Seja honesta.

Saiba que você está colhendo o resultado de suas escolhas. Preste atenção em suas atitudes. Perceba seus medos e enfrente-os com coragem. Você é um espírito eterno, feito à semelhança de Deus, que lhe deu tudo de que precisa para dirigir a própria vida e progredir. A força está dentro de você. Ninguém chega ao sucesso sem errar. São os erros que ensinam mais do que os acertos.

Não faça nada sozinha, peça a inspiração divina. Sempre que for fazer um projeto, procure avaliar se ele vai beneficiar a todos os envolvidos. Observe os fatos à sua volta para sentir se a vida a está apoiando. Ela dará um sinal, e você sentirá que pode ir em frente. Depois, é só fazer a sua parte, dar o seu melhor, persistir e corrigir o rumo se precisar. E, assim, você chega lá!

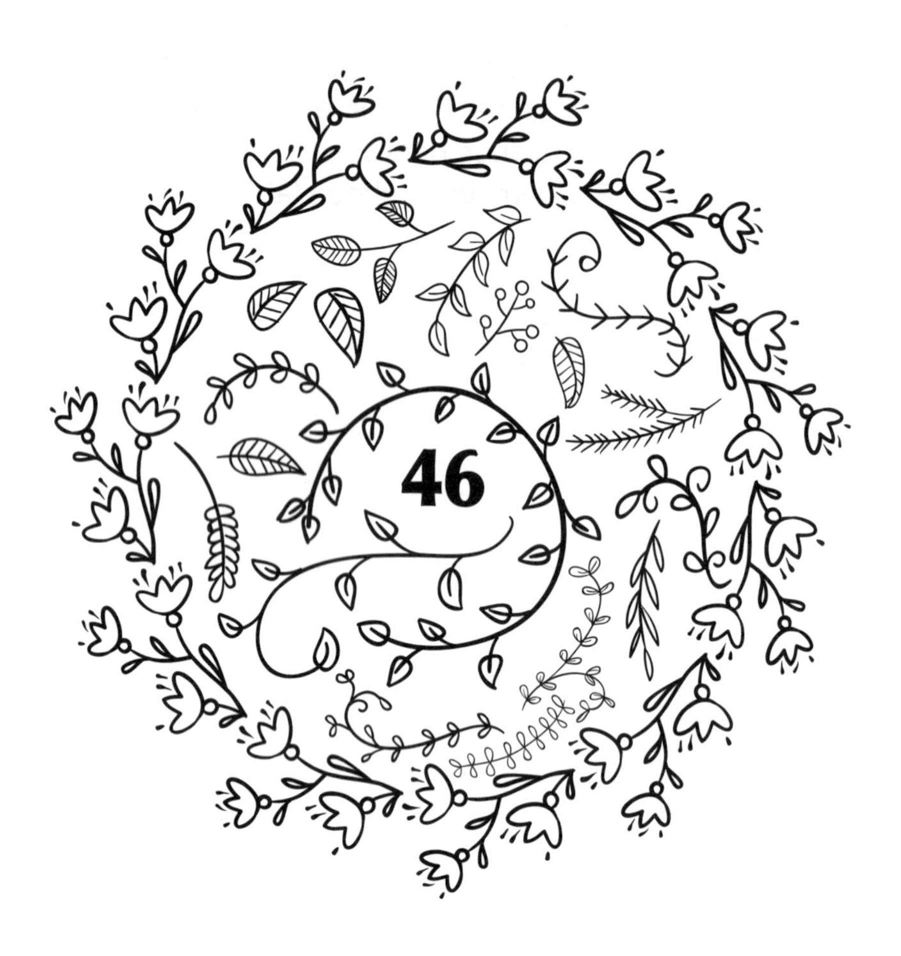
46

Cada um enxerga a vida do seu jeito

Certa vez escrevi um artigo sobre os sintomas da mediunidade. Alguém me respondeu por e-mail: “Não acredito em reencarnação e em nada dessas coisas. Apesar disso, sinto tudo que você descreveu. Como pode acontecer isso?”.

Vocês já repararam na facilidade com que nós acreditamos ou não nas coisas? Fazemos isso todos os dias, dando palpites em tudo. Costumamos dizer: “Não acredito que...” ou “Eu tenho certeza de que...” ou ainda “Eu acho que...”. E tecemos comentários ouvidos ou lidos aqui ou ali como se fossem a pura verdade. Você nunca se flagrou fazendo isso?

A tentação de dar um palpite é muito grande. Hoje eu tento me conter. Só falo sobre coisas de que tenho certeza, ou sobre o que já experimentei e estudei ao longo dos muitos anos de mediunidade. Certa vez, no centro espírita, empolgada com a sabedoria de Jesus e sua luz, fiz uma palestra entusiasta e recebi os abraços comovidos da plateia. Depois, vi o espírito de Silveira Sampaio chegar sorrindo e dizendo:

— Que beleza! Adorei sua palestra. Jesus tem mesmo muita luz! — fez uma ligeira pausa e concluiu: — Mas é dele!

Fiquei chocada. Foi como se um véu tivesse sido arrancado de meus olhos. Compreendi. Na verdade eu havia me esquecido deste detalhe: a luz era dele! Por mais que eu falasse de sua grandeza, isso não acrescentaria nada em meu próprio progresso. Quando fazemos uma pregação, nos envolvemos com a luz da espiritualidade e nos iludimos, achando que já a possuímos. Mas, diante dos desafios do dia a dia, quando precisamos usar o que julgamos possuir, descobrimos o quanto ainda nos limitamos, não tendo ido além do conhecimento intelectual, nada tendo feito em favor do progresso interior, que é nossa maior tarefa.

São os fatos vivenciados, os sentimentos experimentados, que fazem minha fé, minha forma de ver a vida. Eles formam meu patrimônio espiritual. Ele é único, pessoal e intransferível. Você tem o seu nas mesmas condições. Sua vida é o que você fez dela. Eu não pretendo provar nada a ninguém. Cada um é livre para procurar seus caminhos. Se você não consegue acreditar em reencarnação, em vida após a morte, em comunicação com os espíritos desencarnados, isso é um limite seu. Talvez seja interessante estudar a mediunidade. Se não conseguir crer, pelo menos poderá fundamentar melhor suas opiniões. Enfrentar a vida sem fé é como ir para a guerra sem armas. Eu creio na espiritualidade e isso me dá paz. Gostaria de poder dividir minha certeza com todos os descrentes. É impossível. Só você pode fazer brilhar a sua luz. Só você pode desenvolver sua própria consciência. Se deseja isso, não desista. Estude, discuta, questione, busque. Um dia você chega lá!

47

Escravos do medo

A maldade anda solta e, em razão de tanta violência, as pessoas estão se tornando escravas do medo. Em casa, no carro, nas ruas, temem ser assaltadas. Se uma pessoa demora, os familiares pensam logo em uma tragédia. Quando ligam a TV para se distraírem, deparam-se com o noticiário policial, que relata corrupção, crimes, abusos de toda sorte.

Viver sob tensão é terrível e faz com que a pessoa viva se pressionando, enxergue a vida de maneira negativa, acreditando que na atualidade só exista isso.

Pensando assim, você destrói todo o seu prazer de viver e faz do seu dia a dia um inferno. Sua tensão só é aliviada quando lhe acontece alguma coisa ruim.

É hora de mudar seu foco e perceber que muitas pessoas vivem bem, desfrutam de alegria, levam a vida com prazer, acreditam no futuro, sem que nenhuma desgraça ou tragédia lhes aconteça, enfrentando apenas os desafios naturais do próprio progresso.

Você acha que foi pura sorte? Que o destino das pessoas está nas mãos do acaso? Perceba que tudo é perfeito no Universo, que funciona controlado por leis que disciplinam, mantêm o equilíbrio da vida e trabalham em favor do progresso humano.

Essas leis dão a responsabilidade a cada um de, por meio de suas escolhas, criar o próprio destino, colher os resultados, e com isso aprender a gerenciar melhor a própria vida.

Se você se impressiona com o mal, só pensa no mal, só vê o mal, só vai ter em sua vida o quê? O mal.

Você diz que só deseja o bem, porém, se tem medo do mal, é porque acredita que ele seja mais forte que o bem. Por isso sua vida é ruim.

Se deseja sair do círculo vicioso em que se colocou, só há um caminho: valorize o bem. Ao observar como pensam as pessoas que vivem melhor, perceberá que elas levam a vida com otimismo, têm fé no futuro, cultivam a espiritualidade. Ser espiritual é viver no bem maior e não se impressionar com o mal.

Acreditando que o bem é mais forte, você estará se protegendo. A certeza de que há uma força superior cuidando do seu progresso, que atua quando você lhe dá espaço, o auxiliará no esforço para mudar seu foco mental. Comece selecionando melhor sua atenção e, sempre que um pensamento ruim aparecer, dê de ombros e vá para o oposto, afirmando que você crê no bem e só vai lhe acontecer o que é bom. Nessa hora, vão emergir todos os seus medos. É o momento de inutilizá-los, afirmando o oposto. É um trabalho interior que só você pode fazer em favor de sua paz. Esse é o preço do seu bem-estar. Não acha que vale a pena tentar?

48

Corrupção

A onda de corrupção que tem envolvido nosso país é muito antiga. Até Rui Barbosa já dizia que essa prática se tornara tão natural, que ele chegava a ter vergonha de ser honesto. A imprensa grita, a Polícia Federal prende, a justiça absolve, faz-se muito barulho, mas tudo continua igual ou pior.

Por que será que não conseguimos pôr fim à corrupção? Por que as pessoas corruptas continuam sendo eleitas? O que a vida quer nos ensinar com isso?

A vida sempre faz tudo certo e, se todos nós estamos sofrendo as consequências dessa situação, deve ser porque temos algo a aprender com ela. Estudando a corrupção mais a fundo, descobri por que precisamos dessa lição: nós não prejudicamos os outros, mas não temos firmeza conosco e fazemos concessões que corrompem nossos valores.

Por exemplo: você começou uma dieta com disposição e firmeza. Após o jantar na casa de uma amiga, ela lhe oferece um pedaço da torta de morango que você adora. Você recusa, mas ela insiste: "Um pedacinho não vai fazer mal. É só hoje!". Você hesita, mas acaba concordando. Depois sente aquela desagradável sensação de culpa. Percebeu como você se corrompe?

Que outras concessões você costuma fazer em seu dia a dia que o fazem se sentir culpado? Culpar-se é se ver de forma negativa, colocar-se para baixo, o que vai influenciar todas as suas atividades e até mesmo a sua saúde.

Essas concessões parecem sem importância, mas deixam claro a falta de firmeza, a preferência de escorregar para o que parece mais fácil e traz alguma vantagem.

A aparente "vantagem" é uma ilusão perversa que corrompe. É uma faca de dois gumes que fere quem a pratica. A corrupção destrói o respeito, amolece os costumes, deturpa os valores elevados do espírito, dificulta o progresso, atrai a infelicidade.

Queremos acabar com a corrupção! Mas ninguém poderá entrar em alguém e saber até que ponto ela é corrupta. A honestidade é uma questão interior. É preciso, então, questionar-se, descobrir os próprios valores e, a partir daí, praticá-los com firmeza. Não transigir nas pequenas coisas. As aparências enganam, e as testemunhas quase sempre não são confiáveis. Não julgue nem critique os corruptos.

Entregue-os nas mãos de Deus, que vai ensinar--lhes o que precisam saber.

Se o desejo de viver em um mundo melhor e mais justo está dentro do seu coração, essa é a sua verdade. Agarre-se a ela, não se deixe corromper pelos atos dos outros nem pelas facilidades aparentes da desonestidade. Todos nós, agindo assim, vamos mudar as energias do mundo, influenciar os mais fracos e conseguir acabar com a corrupção! Não é o que todos desejamos?

49

Mundo astral

A morte é só uma viagem. Quem morre na Terra continua vivo em outras dimensões e, dependendo das circunstâncias, pode se comunicar conosco. Alguns não acreditam, outros sentem medo e ainda há os que, de boa-fé, acreditam em tudo que eles dizem.

É bom saber que tanto no mundo astral, quanto aqui na Terra, há pessoas de todos os níveis. Cada uma vê os fatos do seu jeito, às vezes mentem quando lhes convém, para se defender ou conseguir o que querem. Quando um espírito fala, é preciso analisar suas palavras, ponderando se são aceitáveis ou não. Você não se recorda do passado, por isso eles podem dizer o que quiserem e influenciar sua vida, para o bem ou para o mal. Depende da forma como você age.

Em todos os casos, é preciso estar atento ao que acontece em seu mundo interior. É você quem dá o tom dos espíritos que vai atrair. Muitos, incomodados com as influências ruins de alguns espíritos, recorrem a rituais para "fechar o corpo", que, quando funcionam, trazem alívio temporário. O que resolve mesmo é elevar seu espírito, usar sua força para disciplinar os pensamentos, pautando-os pela ética espiritual, ligando-se com os espíritos superiores.

Quando você permanece ligado às opiniões dos outros, não assume o comando de sua mente, ficando exposto à invasão dos espíritos maldosos, encarnados ou não, que desejam sugar suas energias e manipulá-lo.

Há os espíritos perturbadores, que invadem sua mente, inspirando pensamentos a fim de dominá-lo, aproveitando-se do fato de que você vai receber esse assédio como se fosse um pensamento seu. Eles distorcem o sentido das frases nas conversas, geram mal-entendidos, infiltram pensamentos negativos para criar depressão. Quando você percebe a presença deles, esses espíritos podem acusá-lo de atos violentos cometidos em outras vidas para criar a sensação de culpa, fazer "revelações" falsas, principalmente se você for muito crédulo e tiver muita curiosidade para "investigar" suas vidas passadas. Eles ainda poderão alimentar sua vaidade e dizer que você foi um rei, alguém famoso e tem uma grande "missão" neste mundo. Não acredite em nada disso.

Liberte-se, faça a sua parte. Não cultive a culpa, seja do que for. Aceite seus pontos fracos e tente melhorar. Não fique contra você, se vigiando, se obrigando a fazer o que os outros querem para "parecer" certinho.

Siga sua intuição, seu eu interior, sua essência espiritual. É lá, na intimidade de seu coração, que Deus fala com você e orienta-o sobre o que deve aceitar ou não. Quando você fica do seu lado, se dando força, assumindo seu poder, está sendo verdadeiro e se tornando imune ao mal. Essa é a melhor proteção e defesa. Experimente e verá!

50

Por uma vida melhor

Enfrentar os condicionamentos culturais, os antecedentes de outras vidas, que, embora esquecidos temporariamente, continuam agindo em nosso inconsciente, a convivência com pessoas de níveis diferentes, aprender a lidar com tudo isso de maneira adequada, que ao mesmo tempo nos permita desenvolver potenciais, manter o equilíbrio emocional, a saúde mental e física, não é fácil, principalmente no nível espiritual em que estamos.

Todavia, quando pensamos que a inteligência universal vive em nós como uma herança divina e, apesar do quanto ignoramos ainda, nos impulsiona de várias formas a acreditar no progresso, a enfrentar os desafios do presente e a desejar uma vida melhor e mais feliz, sentimos alívio.

Quantas vezes, ao enfrentarmos uma situação difícil, brota dentro de nós uma força inesperada e uma resistência que ignorávamos, provando que a vida nos deu todos os recursos para desempenharmos as atividades na Terra e conseguirmos o amadurecimento que viemos buscar.

Estamos aqui para aprender como funcionam as leis que regem o Universo, a fim de que, como espíritos eternos, possamos cumprir nossa parte, de forma mais consciente e ativa, nesse processo do qual já fazemos parte.

Quanto mais conscientes nos tornarmos dessa realidade e nos esforçarmos para assumir os compromissos do nosso espírito, mais depressa conseguiremos realizar nossos projetos de uma vida melhor. Reconhecer que esse é o objetivo maior do espírito faz com que estudemos a ética espiritual e façamos escolhas mais verdadeiras.

Para alcançar esse nível, é preciso conhecer melhor nosso mundo interior, reavaliar nossas crenças, elevar nosso nível de conhecimento, respeitar nossos sentimentos e agir em acordo com o que nos deixa bem, não dando força ao que nos angustia e desagrada. Respeitar os sentimentos significa valorizar-se. Isso vai atrair o respeito e a valorização até dos que não aceitam sua maneira de ser.

É um longo e gradativo caminho que todos estamos percorrendo há muito tempo. O magnetismo do mundo nos atrai, cria ilusões, inverte valores, e o esquecimento do passado provoca incredulidade, conforme o nível do espírito, que, ao fazer escolhas ruins, colhe maus resultados. O estágio na Terra revela o nível do espírito. Muitos se demoram em círculos viciosos de ilusões e depressão, até que acabe o tempo que lhes foi concedido para aprender. Então a vida usa um recurso mais duro para que ele possa acordar.

Pense nisso e fique atento ao seu mundo interior. É melhor ir pela inteligência do que pela dor. O progresso é fatal, quer queira quer não. Você terá de amadurecer, cooperar com a vida, ser uma pessoa melhor.

51

Relacionamento familiar

Tenho recebido muitas cartas de pessoas desesperadas com seu relacionamento familiar. Não há nada mais desagradável do que um grupo de pessoas que não se afinam e se obrigam a viver juntas, em constante jogo de autotortura. Reclamam dos familiares, dizem-se perseguidas, humilhadas, agredidas, sem encontrarem saída. Angustiadas, pedem orientação espiritual e a ajuda dos espíritos desencarnados.

Por que as pessoas aceitam viver nessa situação? Algumas tentam justificar-se dizendo-se vítimas da maldade dos outros, não reagem por medo, outras alegam que é seu carma e terão de suportar essa convivência pelo resto de suas vidas, suportando tudo sem reagir.

Há inúmeras variáveis que interferem nesse processo e precisam ser analisadas caso a caso. É verdade que a vida faz nascer na mesma família espíritos que trazem dentro de si situações mal resolvidas de outras vidas, que os estão limitando e precisam ser solucionadas. Mas só o faz quando todos os envolvidos já evoluíram e têm condições de libertarem-se delas. E como fazer isso?

Feche os olhos, dê um passo atrás, analise a situação como se fosse outra pessoa. Sinta como tem sido sua atuação, firme intimamente o propósito de acabar com o problema definitivamente, com boa vontade e determinação. Jogue fora ressentimentos e queixas, analise outros lados da questão. Você tem todo o direito de preservar seu equilíbrio e viver em paz. Diga que deseja acabar com o desentendimento, mas se o outro insistir, não aceitar, abençoe-o e deixe--o ir. Duas coisas resultarão dessas atitudes: ou ele se aproximará de você, ou buscará a felicidade em outro lugar. Ambos se libertam.

A causa pode ser atual, resultado de suas atitudes. E se fizer o exercício acima, sentir o padrão de seus pensamentos habituais, analisá-los, poderá melhorar seus relacionamentos, não só familiares como sociais.

Formas de ver que colocam você para baixo, tais como: "Você não sabe fazer nada!"; "Mulher deve obedecer ao marido!"; "Se não fosse a família, você morreria de fome!"; "É preciso ajudar os outros!"; "O mundo é cruel e perigoso"; e tantos outros. Há também os medos: da solidão, do futuro, de dizer não, de desagradar os outros e de não ser aceita, e muito mais. Pense: por que a vida colocou você nessa família? Para aprender a ser melhor. Não para ser submissa. Ela a está provocando para que desenvolva a própria força. Enfrente seus medos. Quando fizer isso, tudo mudará.

Ser independente é assumir a responsabilidade pela sua vida. É mudar, fazer seu próprio lar do jeito que você acha que deve ser. A felicidade tem um preço que você precisa pagar para obtê-la. Lute por ela. Você merece e tem como conseguir. Basta querer.

52

Lei da ação mental

Você deseja o bem, quer fazer o melhor, respeita as pessoas, se esforça para melhorar sua vida, mas, apesar disso, não entende por que as coisas não melhoram. Se entristece, sente-se sem motivação, perde a alegria de viver. De que adianta se esforçar se tudo é tão difícil?

Entregar-se ao desânimo só vai agravar seus problemas. O melhor será você analisar os pensamentos que normalmente passam por sua cabeça. Eles podem ser a causa de sua infelicidade.

Circulam à nossa volta tanto as energias mais sutis e elevadas como as mais densas e desagradáveis. Nossos pensamentos têm o poder de atraí-las por afinidade.

Tudo que notamos, tudo que pensamos, tudo que falamos, tudo a que damos importância, tudo que nos interessa por meio de pensamentos, palavras, ações, tudo isso é convidado a entrar em nossas vidas.

Segundo a Lei de atração mental, o convite será aceito. As coisas que lhe interessam, sobre as quais você discute e com as quais se identifica, são as coisas que você convida para entrar em sua vida, queira ou não.

Se você deseja mudar o que não está bom, mude sua forma de pensar, de ver a vida, e abra sua mente para receber o melhor, procurando se identificar com coisas que deseja atrair para sua vida, dedicando-lhes atenção e falando sobre elas. Apenas isso.

Em vez de ficar reclamando, comentando o assunto com outras pessoas, abra sua mente, ligue-se com Deus, dizendo a Ele o que quer receber de bom. Comentar seus desejos com os outros poderá dissipá-los, porque Deus é a fonte de benefícios, não as pessoas.

Embora pessoas, ideias e oportunidades sejam canais de suprimento, Deus é a fonte, pois é Ele que cria as ideias e as oportunidades.

Por meio da Lei de ação mental, Deus leva as pessoas e as circunstâncias certas até você, de modo a lhe proporcionar as ideias e as oportunidades que criarão a sua prosperidade.

Repita esta frase várias vezes ao dia: "Eu não dependo de pessoas nem de circunstâncias para minha prosperidade. Deus é minha fonte de suprimentos e Ele me oferece agora maravilhosos canais de prosperidade".

A verdadeira prosperidade é um conjunto de conquistas que vão da saúde perfeita ao sucesso em todas as áreas de sua vida. É muito mais do que progresso financeiro. Não se sinta culpada por querer receber tanto. O fato de você ter sempre o melhor, ser mais feliz, não vai impedir que todas as outras pessoas recebam tanto ou mais que você. A vida é muito rica e tem meios de suprir as necessidades de todos.

Jogue fora a carência, acredite no próprio poder, mentalize só o sucesso e conquistará tudo de que precisa para viver melhor. Experimente e verá!

53

Enfrentando o desânimo

Quando nada dá certo, a pessoa costuma culpar os outros e dizer que não tem sorte. Dando força a essa crença, a situação tende a piorar e pode chegar ao extremo de uma depressão. A vida perde o sentido, e nada mais lhe dá prazer.

Uma situação como essa é o resultado de sua maneira equivocada de ver a vida, acreditando que os outros têm poder sobre você. É bom lembrar que, apesar de você ignorar o imenso poder de decisão que possui, ele continua sendo exercido por meio das escolhas que faz, e a responsabilidade dos fatos que estão acontecendo é só sua.

Todos desejamos ser aceitos, admirados, e fazer o que é certo. Por cultivar uma imagem negativa de si mesmo, você teme errar e ser criticado. Não confia na própria capacidade e, em vez de procurar desenvolver o conhecimento, prefere dividir a responsabilidade com os outros. Se der errado, tem a quem culpar.

Não faça isso com você. Não há duas pessoas iguais. Cada espírito tem seu próprio processo de evolução, reflete experiências e necessidades de outras vidas, e traz uma programação diversa da sua.

Ninguém sabe qual é a sua necessidade, o que você veio buscar nesta encarnação, qual é sua vocação e qual a programação que a vida fez para seu progresso.

Podemos admirar pessoas evoluídas, aprender com elas, mas sempre preservando nossa individualidade. O que dá certo para elas pode não dar certo para você.

Reconheça que, se sua vida vai mal, é porque está usando mal o poder que Deus lhe deu. Só você pode mudar isso. Tenho falado muito sobre a necessidade de cultivar o otimismo. Estou vendo você dizer: — Como posso ser otimista se está tudo ruim?

Você pode começar observando quais são as frases negativas que costuma dizer todos os dias e prometer a si mesmo que vai parar com isso. É bom também reconhecer suas qualidades e expressá-las sem medo de errar. Aprendemos mais com os erros do que com os acertos.

Durante algum tempo, os pensamentos ruins aparecerão em sua mente, mas não lhes dê importância e insista no bem. Assuma o comando de sua vida, e controle sua mente. O ego se expressa por meio dela e reflete as crenças negativas de todas as pessoas e até dos desencarnados. Cuide-se. Troque um pensamento ruim por um bom com naturalidade. Com o tempo, eles irão desaparecendo.

Expresse seus sentimentos e não se obrigue a fazer o que não quer apenas para satisfazer os outros. Coloque-se, dizendo o que sente. Isso não é egoísmo, mas valorização.

Esse é o caminho para conquistar tudo de bom que você deseja. A vida espera que você faça a sua parte, para lhe dar o melhor.

54

Você pode mudar sua vida

Há pessoas fortes que, diante dos desafios do dia a dia, não esmorecem, continuam firmes procurando meios de dar a volta por cima. Geralmente conseguem. Em contrapartida, há outras que são fracas e diante de qualquer dificuldade se desesperam, perdem o controle, não veem saída e, quando tomam uma atitude, fracassam.

O que faz a diferença? Você pode pensar que isso acontece por causa do nível de evolução de cada um, uma vez que uns estão mais evoluídos do que outros.

Se examinarmos melhor a questão, perceberemos que não é bem assim. Os espíritos iluminados, quando reencarnam, sobressaem. Olhando em volta, não nos parece que haja muitos deles encarnados no momento.

Meu filho Luiz Gasparetto costuma afirmar que: VOCÊ ESTÁ ONDE SE PÕE. Essa é a grande verdade.

Dependendo da forma como vê a vida e se vê, você direciona sua força. Essa energia está dentro de nós e obedece ao nosso comando.

Certa vez vi o caso de uma mãe cujo filho foi atropelado, ficou preso embaixo do carro e ela foi capaz de sozinha levantar o veículo e tirar o filho de lá. Como ela fez isso? A força estava lá e, diante do perigo, ela a utilizou.

Essa força está também dentro de você e obedece ao seu comando. Se não confia em si, julga-se fraco e incapaz, menos preparado do que os outros, está colocando toda sua força contra si mesmo e ela vai empurrá-lo para baixo.

Você se sentirá cada dia mais fraco, os problemas vão se multiplicar em sua vida, sem que apareça uma saída.

Em nossa cultura há muitas crenças falsas que são aceitas como verdadeiras sem serem questionadas. Elas atuam no subconsciente, influenciando as pessoas a tomarem atitudes inadequadas, que resultam em sofrimento.

Se sua vida está ruim, você pode mudar isso, analisando suas crenças. Anote em um papel todos os pensamentos negativos que passam pela sua cabeça durante um ou dois dias para verificar como anda seu emocional. Depois, faça uma lista de todas as suas qualidades, de como gostaria que sua vida fosse. Não pense pequeno. Você merece o melhor. Deseja ficar no bem e ser feliz.

Imagine que já possui tudo que precisa, que as

pessoas o aceitam, que seus relacionamentos são bons, que sua situação financeira é maravilhosa.

Nessa hora vai aparecer um pensamento de que tudo isso é impossível, é ilusão. Não dê importância, reafirme sua posição otimista. Durante alguns dias os pensamentos negativos vão incomodá-lo. É natural, porque você os cultivou durante toda sua vida e eles ainda estão lá. Reaparecem para serem eliminados. Não ceda à descrença. Acredite no próprio poder.

Você está onde se põe. Observe que quem acredita que pode tem sucesso. Experimente e verá.

55

Insatisfação

Há pessoas que, por mais que as coisas estejam correndo bem, nunca estão satisfeitas. Você é uma delas?

Acreditou que sua vida iria melhorar quando comprasse um carro (claro que zero, para não dar problemas), trabalhou duro para conseguir pagar a despesa, ficou radiante quando colocou o veículo na sua garagem.

Na primeira semana desfilou com ele por vários lugares, mostrou-o aos amigos, sentiu o gosto da liberdade. Mas dias depois tudo voltou ao normal, a insatisfação reapareceu forte.

Seu relacionamento afetivo estava sem graça, você estava carente de um amor, então acabou a relação e partiu em busca de algo melhor. Entusiasmou-se por alguém, investiu na relação, mas algum tempo depois a euforia acabou, a insatisfação voltou e você decidiu acabar e procurar outra pessoa melhor.

Trabalhando em uma empresa boa havia alguns anos, sentia-se cansado da rotina, reclamava quando tinha que ficar alguns minutos além do horário estipulado ou fazer alguma coisa a mais do que lhe competia a função. Esperava ansiosamente pela promoção a que, pela organização da empresa, tinha direito. Mas quando chegou o momento, a direção colocou outro em seu lugar e você se sentiu injustiçado. Não suportou e pediu demissão. Como tinha um bom currículo, em menos de um mês arrumou outro emprego, em uma posição melhor e com um salário maior.

Ficou radiante e pensou: "Agora sim estou muito bem! Daqui pra frente tudo vai melhorar".

O entusiasmo durou dois meses, findo os quais começou a ficar insatisfeito de novo.

De onde vem esse sentimento? Por que você não curte as coisas boas que possui? O que o faz não valorizar o que tem e desejar sempre mais, sem nunca se sentir realizado?

A causa desse sentimento está dentro de você e é inútil procurar resolvê-la através das coisas de fora. Seu espírito é vida e, ao reencarnar na Terra, ele trouxe um projeto divino de progresso para desenvolver aqui. Cada espírito possui uma vocação e só é feliz quando consegue utilizá-la.

Para alcançar esse objetivo, é necessário controlar a mente, onde estão todos os condicionamentos mundanos, acumulados e aprendidos durante as várias encarnações passadas. É um trabalho consciente de esforço e persistência, porquanto muitos deles já estão automatizados, tornaram-se viciosos e atuam até contra nossa vontade.

Se você substituir cada pensamento negativo por um positivo, expressar seus sentimentos íntimos, só fazendo o que acredita, não se deixando levar pelos outros, seu espírito se manifestará em toda sua grandeza, sua luz vai brilhar e nunca mais você sentirá a dor da insatisfação. Experimente!

56

Como vai sua vida?

Como vai a sua vida? Como é o mundo em que você vive? Não me refiro aos acontecimentos que se materializam à sua volta, mas à forma como você os interpreta. Quanto maior seu senso de realidade, mais competência você terá para lidar com os desafios do dia a dia.

Em uma sociedade que valoriza as aparências, as pessoas tentam ser aceitas, criando papéis que não condizem com seu temperamento, limitando-se, obrigando-se a fazer coisas das quais não gostam, perdem o prazer da realização plena. A maioria das pessoas age dessa forma.

Por trás dessa atitude estão as falsas crenças aprendidas às quais demos crédito. Elas distorcem as coisas e nos impedem de enxergar aquilo que é. Além disso, nossa imaginação é muito fértil e com facilidade entra na ilusão, sem saber que, ao fazê-lo, está programando a própria frustração.

Essa dificuldade de enxergar a verdade nos coloca em situações delicadas que acabam sempre em sofrimento. Quando simpatizamos com uma pessoa, costumamos projetar sobre ela todas as qualidades que gostaríamos que ela tivesse, confiamos nela sem observar os traços negativos de sua personalidade.

É o que acontece em muitas famílias em que os pais não querem ver os pontos fracos dos filhos. Essa omissão pode vir a custar muito caro, porque, ao observar os pontos fracos já na primeira infância, pode-se encontrar ajuda profissional e tomar atitudes corretivas adequadas, auxiliando-os a vencerem as suas dificuldades.

Querer enxergar a verdade não implica julgar as pessoas ou entrar na maldade. Trata-se apenas de proteger-se de futuros aborrecimentos, preservar a própria integridade e até ter a chance de ajudar as pessoas.

O inverso também acontece. Quando implicamos com uma pessoa (às vezes somos muito implicantes), seja pelo que for, costumamos ver apenas seus pontos fracos, ignorando tudo que ela possa ter de bom. Se você implica com uma pessoa com a qual tem de lidar no dia a dia, em vez de criticá-la, de desejar afastá-la, reaja, tente descobrir suas qualidades. Essa é a forma mais adequada de lidar com essa situação.

Quando você muda a maneira de ver, muda todas as coisas à sua volta. Enquanto continuar criticando, rejeitando a pessoa, estará fortalecendo energeticamente a ligação entre vocês. Só o entendimento e a aceitação das diferenças, percebendo aquilo que é, solucionarão a situação.

Ou vocês se entendem e passam a ter um relacionamento melhor, ou essa pessoa se afastará, irá para outro lugar onde se sinta mais feliz. Assim, ambas ficarão bem. Não tenha medo da verdade. Ela o libertará.

57

Tempos difíceis

Estamos vivendo dias difíceis, em que a violência tem disseminado o medo, a corrupção, a desonestidade, que são vistas como normais, principalmente entre os que têm nas mãos o poder de evitá-las.

Diante desses fatos, fica difícil escapar da sensação de insegurança, de impotência que nos faz acreditar que não há nada a fazer e só nos resta engolir o desencanto e ficar amargando tudo que está errado.

Isso não é verdade. Nós somos espíritos eternos, em trânsito na Terra, em busca da evolução. Precisamos olhar o cenário atual sob a ótica espiritual, que muda tudo e nos dá a dimensão verdadeira desses acontecimentos.

A evolução é individual, e o livre-arbítrio determina o ritmo de cada um. Progredir, seja pela inteligência ou pela dor, é fatal a todos. Ninguém vai se perder pelo caminho.

Jesus foi muito claro quando disse: "Se quero que eles fiquem até que eu venha, que te importa a ti? Segue-me tu!", esclarecendo a necessidade de cada um cuidar de si mesmo. Essa é a nossa maior responsabilidade e nos será cobrada em qualquer tempo.

Nós não temos como mudar os outros, mas podemos escolher não entrar na maldade deles, ficarmos firmes em nossos conceitos do bem e da espiritualidade.

A maldade é temporária, mas o bem é eterno. Espíritos de luz estão à nossa volta com o propósito de nos fortalecer, inspirar, mas só poderão fazê-lo na medida em que lhes dermos abertura. Nós somos donos das nossas escolhas e eles respeitam nosso arbítrio.

A ligação com o bem, com os espíritos de luz, fortalece a imunidade e é nossa melhor defesa. Só conseguiremos mantê-la sendo verdadeiros em nossas atitudes, disciplinando os pensamentos, respeitando as diferenças e o direito de cada um, pautando suas atitudes pela ética e pelos valores espirituais.

Você acha que é difícil agir assim? Pelo contrário. Basta ficar firme nesse objetivo.

Claro que pensamentos negativos vão aparecer, porquanto você lhes deu força durante tantos anos, eles estão gravados em seu subconsciente, criaram condicionamentos e surgem independente da sua vontade. Você só precisa não se impressionar com eles, mandá-los embora e reafirmar sua crença no bem. Com o tempo vão desaparecer. Além disso, estamos rodeados por energias pesadas de espíritos ignorantes, atraídos pela maldade de muitos, querendo tirar proveito das fraquezas de cada um.

Quando você não lhes dá acesso, costumam envolver as pessoas em volta, na intenção de atingi-lo. Não se deixe enganar, fique calmo, firme, confie no bem. Além de ficar protegido, estará somando energias com os espíritos iluminados que trabalham para melhorar o mundo. Torne-se um deles e garanta seu bem-estar.

58

Você e os outros

Sou daquelas que acreditam que quanto maior nosso senso de realidade, menos sofrimento teremos. Olhar as coisas como elas são nos dá condições de agir com mais segurança e eficiência em todas as áreas de nossa vida.

Vivendo em uma sociedade que valoriza mais as aparências, em nossas atividades do dia a dia não nos aprofundamos na análise das pessoas com as quais nos relacionamos e, na maioria das vezes, nos deixamos levar pelo que parece.

Além disso, quando simpatizamos com alguém, temos por hábito projetar nela só qualidades, fazemos vista grossa aos sinais que ela possa dar dos seus pontos fracos. Colocamos muitas expectativas nesse relacionamento e, quando esse alguém revela seu lado fraco, nos magoamos, ficamos frustrados, culpando-a pela nossa infelicidade.

Todos nós temos qualidades e defeitos. Olhar apenas um lado é mergulhar na ilusão e candidatar-se à frustração.

Em contrapartida, quando implicamos com uma pessoa (e nós somos muito implicantes), só enxergamos nela os defeitos. E, quando a vida nos une na família ou no trabalho, entramos na crítica, na maldade, nos tornamos preconceituosos. Fazemos do relacionamento um inferno, nos duelando verbal ou mentalmente.

Se isso está acontecendo com você, é hora de reavaliar a situação, procurar descobrir a verdade. Para tanto, terá que jogar fora todas as suas ideias preconcebidas e tentar enxergar além do que parece. Esqueça tudo que pensava e faça de conta que está vendo a pessoa pela primeira vez. Saia do julgamento. Ele distorce a visão.

Ligue-se com a pessoa, ignore os pensamentos que surgirão em sua cabeça, e sinta no coração o desejo de vê-la como ela é, com suas qualidades e defeitos. Insista nisso. Estou certa de que se surpreenderá. Perceberá lados dela que nunca tinha visto.

O pensamento pode refletir os condicionamentos automatizados por falsas crenças aprendidas ao longo da vida, mas o sentir promove a ligação entre seu espírito e o dela e fará uma troca energética verdadeira.

Você pode continuar gostando de uma pessoa, apreciar suas qualidades e, conhecendo seus pontos fracos, saberá precaver-se, evitar futuros problemas, manter um bom e longo relacionamento, uma amizade confiável para ambos.

Já com quem você não se dá bem, conhecendo como ela é, saberá evitar seu lado pior e trazer à tona o que ela tem de melhor, resolvendo o problema. Ou ela se afinará com você ou sairá de sua vida, indo ser feliz em outro lugar.

Você tem o direito divino de viver uma vida produtiva e mais feliz. Mas só conseguirá quando aprender a lidar com as pessoas de maneira adequada, olhando as coisas como elas são.

59

Aceitação

Todos nós estamos de passagem neste mundo. Mergulhados na rotina a que nos acomodamos, esquecemos desse detalhe, nos apegamos a coisas, situações, pessoas, sem lembrar que nada é para sempre. Tudo se movimenta e muda de instante a instante, mas nós nos seguramos nas coisas, temos dificuldade em aceitar as mudanças.

Nos sentimos seguros com a aquisição de bens materiais, com a união familiar, com a admiração dos amigos e da sociedade. Todas essas coisas nos ajudam a viver melhor, nos apoiam, mas vão se modificar com o tempo.

Assim sendo, o melhor é valorizar os momentos bons que vivenciamos, sabendo que, quando chegar o da mudança, será preciso aceitá-la com coragem e naturalidade.

Agarrar-se a algo que acabou é sofrer sem remédio, atrair depressão, agravar a situação. Toda perda é dolorosa. A morte de um ente querido, mesmo quando você sabe que o espírito é eterno, que a vida continua, causa dor.

Um relacionamento em que você colocou muito amor e termina em separação pode fazer acreditar que todo bem de sua vida acabou e que nunca mais será feliz.

Uma perda financeira que muda seu padrão de vida traz insegurança, causa desconforto e preocupação.

Todavia, não aceitar aquilo que é, revoltar-se, brigar com a vida, só alimenta o desalento e a tristeza. Por mais que você deseje, não conseguirá trazer de volta um tempo que terminou. É ficar parado na dor, sofrendo inutilmente. Perceba que essa é uma escolha sua.

Ao fazê-lo, demonstra que não confia na sabedoria da vida, que Deus não mora dentro de você e que precisa resolver sozinho todos os problemas que o afligem.

Você está jogando fora todo auxílio que a bondade divina oferece a quem aceita o que não pode mudar e busca ajuda espiritual com fé e humildade.

A vida trabalha em nosso favor. A necessidade de aprendizagem, os pontos fracos que ainda temos é que atraem os desafios em nosso caminho. Enfrentá-los com coragem desenvolve a força interior, aumenta a lucidez, amadurece. A evolução do espírito é lei da natureza.

Deixar o passado ir embora, aceitar o novo é abrir espaço para que o progresso possa entrar em sua vida, trazendo conhecimento e satisfação. As coisas mudam, mas ninguém nem nada pode tirar o que pertence a você por direito divino. O amor que sente pelos que se foram continua existindo e um dia os unirá de novo. Se perdeu bens materiais, ganhou experiência para administrar melhor os recursos que virá a possuir. Afinal, uma perda, seja do que for, sempre deixa um vazio, mas abre espaço para a conquista de algo melhor. Pense nisso.

60

Não dê força ao negativo

Espíritos amigos têm nos alertado sobre o aumento da densidade energética em nossa atmosfera, ressaltando a necessidade urgente de controlarmos nossos pensamentos a fim de mantermos nossa integridade.

Estamos vivendo em uma sociedade que valoriza as aparências, os valores éticos estão distorcidos, há muita corrupção, violência, descaso no uso dos recursos naturais do planeta e da coisa pública. Embora haja pessoas do bem que se esforçam para manter-se equilibradas, nem sempre conseguem isolar-se do padrão negativo que esse estado de coisas promove. Diante desse quadro, alguns descreem do bem, jogam fora seus escrúpulos, resvalam na aparente "facilidade" da desonestidade como forma de defender-se da maldade alheia e juntam-se a eles.

Apesar do que parece, a ética espiritual ainda vigora nas leis universais que regem a vida. Você é livre para escolher, mas obrigado a colher os resultados de suas escolhas. É melhor ficar no bem.

Não é fácil suportar o assédio das energias pesadas que nos cercam, sugerindo pensamentos ruins, provocando mal-estar físico e com o qual não sabemos lidar. Além disso, espíritos maldosos aproximam-se dos desavisados, sugando suas energias em proveito próprio.

É preciso aprender a não se deixar envolver por essas energias. No mundo energético que nos rodeia, há as energias elevadas que restauram nosso equilíbrio e provocam bem-estar. Você pode escolher ligar-se com elas para se proteger.

Mas é preciso ficar atenta ao que acontece em seu mundo interior e controlar seus pensamentos. Não dar força aos que são ruins, substituindo-os por bons, sem dramatizar. Não importa se eles vêm de fora ou de uma falsa crença automatizada que você tem. Não é bom, esqueça. Quando você não dá importância, eles vão embora.

Preste atenção ao que você fala. As palavras têm força. Tudo que você fala, pensa, discute, dá força, entra em seu mundo e passa a fazer parte de sua vida. Não comente o que você teme, nem os fatos ruins da mídia ou os problemas que acontecem com quem você ama. Faça uma prece, peça ajuda espiritual para os envolvidos, entregue o caso nas mãos de Deus.

Cultive o bem, crie projetos positivos para sua vida, imagine como realizá-los, mas não conte aos outros para não dispersá-los. É em Deus que você pode confiar seus desejos íntimos de progresso. Deus é o nosso provedor e pode tudo! Peça inspiração divina, faça sua parte e confie na vida. Se tiver se libertado das energias negativas e se ligado com Deus, tudo dará certo. Experimente e verá!

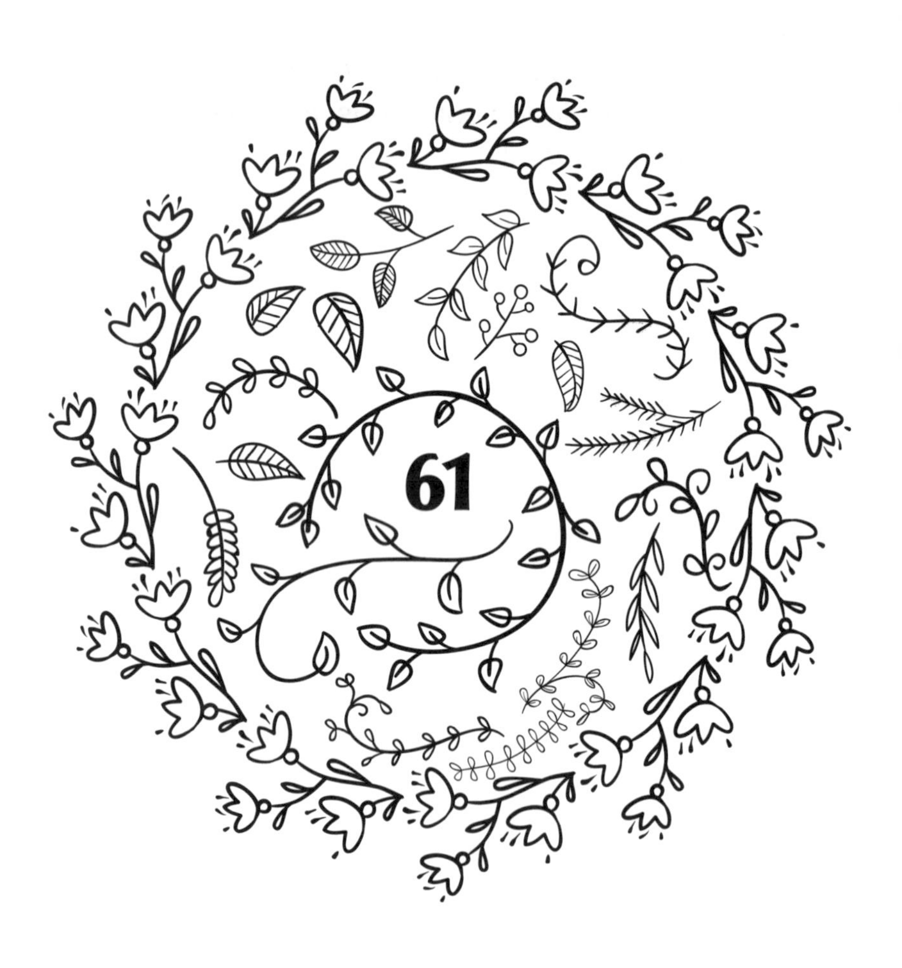
61

Perda de um ente querido

A morte de uma pessoa querida é um momento de mudança e de reflexão. Acreditar que Deus não erra acalma, conforta, ajuda. Aceitar o irremediável é superar a dor, enquanto a revolta só faz aumentá-la. Visualizar os momentos dolorosos, o sofrimento daquele que partiu, agrava a ferida. Não aceitar os fatos que não pode mudar é inútil, deprime e atrai doenças. Além disso, angustia muito o espírito recém-desencarnado.

Se o espírito já tiver conhecimento de que a vida continua, logo recupera a lucidez e quer contar aos familiares que continua vivo e está bem. Mas sente-se frágil, emocionado e, diante da comoção dos parentes, não quer deixá-los. Recusa a assistência dos espíritos amigos, agarra-se aos familiares, quer ajudá-los, não consegue e todos sofrem. O espírito recém-desencarnado precisa saber que todos ficarão bem sem ele e têm coragem para seguir adiante. Só assim terá coragem para enfrentar a nova vida.

A reencarnação e a morte são mudanças naturais. Quantas vezes já passamos por elas? Nossa cultura materialista tem dramatizado a morte excessivamente. Nos fixamos na decomposição física, na transformação da matéria, esquecidos de que ela, sem o espírito, é nada. É o espírito que vitaliza e une os elementos físicos de nosso corpo, que se desagregam quando ele se afasta.

Se você crê em Deus, tem que admitir que Ele é perfeito, é bom e nunca faria nada ruim. Logo, aquele desastre horrível, aquela morte trágica, aquele quadro doloroso pode ter sido suavizado e a pessoa não ter experimentado nenhuma dor. Quem nos garante que o espírito não tenha sido retirado do corpo alguns segundos antes de ser atingido? Que aquela pessoa na UTI, em coma, nem tenha percebido os aparelhos perfurando seu corpo e tenha se ausentado antes?

Nos relatos dos espíritos desencarnados de forma violenta, a não ser em alguns casos de suicídio, no qual precisam ir fundo na experiência que escolheram, eles mencionam que acordaram no astral sem terem passado por grandes sofrimentos físicos. Lamentam, isso sim, o inconformismo dos parentes que ficaram, que os chamam e os atraem justamente para o local que preferem esquecer.

A morte é apenas um momento de transformação, porque só existe vida. Quem morreu voltou a seu plano de origem e vai repensar seus acertos e enganos. Vai reencarnar mais experiente em nova oportunidade e ser mais feliz.

Se você perdeu um ente querido, liberte-o agora! Mande embora a tristeza, celebre a vida, a beleza, a perfeição do Universo. Coragem! O parente que partiu agradece!

62

Desespero não leva a nada

A maioria das cartas que tenho recebido é de pessoas desesperadas, pedindo ajuda. Casos de separação, desemprego, perda de entes queridos, solidão, procura de amor. Pessoas atormentadas, em busca de uma saída, esperando que alguém possa lhes dar uma receita que, como em um passe de mágica, resolva todos os problemas.

Isso é ilusão. Ninguém pode buscar nos outros uma resposta que está dentro de si. Se você se desespera, é porque quer as coisas do seu jeito, sem perceber que, para seus projetos se realizarem, terá de descobrir o caminho certo.

A vida funciona regida por leis divinas e perfeitas que mantêm o equilíbrio da natureza e trabalham em favor da evolução. Conforme você atua no dia a dia, ela responde com fatos indicativos do seu desempenho. Esses fatos são a chave para a solução dos seus problemas. Eles comprovam que suas escolhas foram equivocadas.

Está na hora de tentar se acalmar, parar, analisar os fatos. Cada um deles pode ser visto de vários lados. Use a imaginação e procure descobrir quantos lados consegue enxergar de cada um. É um exercício muito produtivo que abrirá sua mente, fazendo-o ir mais fundo na busca da verdade.

Só essa atitude já fará com que você veja a situação com menos dramaticidade. A falta de fé em Deus e em si mesmo enfraquece, traz sensação de impotência e incapacidade, torna o problema grande demais. Reaja, pare de se queixar, não se culpe pelo que deu errado, seja mais otimista. Para sair dessa crise de desespero e ir gradativamente resolvendo seus problemas, comece por entender que se preocupar, ficar angustiado, imaginar o pior, trava sua lucidez e só piora as coisas.

Ligue-se com Deus, creia na bondade divina e peça a Ele que lhe mostre o que tem de fazer para conquistar a felicidade. Parece simples, mas funciona. Para mudar sua vida, você não precisa tomar nenhuma providência externa, basta modificar suas atitudes.

Tudo que lhe acontece é uma mensagem da vida tentando equilibrar seu mundo interior. É dentro de você, da forma como olha e escolhe suas atitudes, que está a causa do que lhe acontece.

A certeza de que Deus é seu suprimento e está no leme de tudo o aliviará e dará coragem para superar as dificuldades. Se persistir, em pouco tempo as coisas começarão a se modificar, fazendo com que sua fé aumente a cada dia. Quem tem fé faz a parte que lhe cabe, se esforça para ficar no bem e entrega todos os problemas nas mãos de Deus, conquista a serenidade e consegue viver melhor.

63

Afinidade energética

Você tem uma sensibilidade aguçada e vive às voltas com captações de energias de toda sorte? De repente começa a sentir dor de cabeça, enjoo, inquietação, vontade de sair correndo, mal-estar geral? O médico não encontrou nenhuma doença, culpou a agitação da vida moderna, receitou-lhe alguns calmantes?

Aconteceu comigo anos atrás, e quando eu tomei o calmante fiquei pior, porque, tendo relaxado o sistema nervoso, anulei qualquer reação e essas energias intrusas tomaram conta de mim.

Essa é uma situação real com que é preciso aprender a lidar. O pensamento é uma força viva cujo teor dá forma à energia e cria um bloco que permanece atuante na atmosfera. De acordo com a Lei da atração mental, cada pessoa atrai essas energias pela afinidade.

Aí você vai dizer que isso não é verdade. Que é uma pessoa boa e não fica no mal. Quando comecei a estudar a mediunidade, eu também pensava assim. Ia ao centro espírita buscar ajuda, melhorava durante certo tempo, mas os sintomas voltavam. Eu atraía energias de espíritos desequilibrados e de pessoas encarnadas. Naquele tempo, as via como sendo algo natural do processo, resultado da maldade do mundo e, como não tinha saída, era obrigada a aceitá-las.

Com o tempo aprendi que estava enganada. Deus só age no bem e nos deseja o melhor. O poder do mal é relativo e só age como pano de fundo para que o bem se expresse. Acreditar que ele possa nos dominar contra nossa vontade é ignorar a força do nosso espírito, criado à semelhança de Deus, com amplo poder para gerenciar as forças que nos circundam.

Os espíritos de luz me ensinaram a enxergar a beleza da vida e descobrir como ela funciona objetivando nossa evolução. Que enquanto não olharmos para dentro de nós, não melhorarmos nosso conhecimento ético e espiritual, não nos esforçarmos para melhorar nossos pontos fracos, ficaremos à mercê de energias negativas que dão o teor do quanto ainda nos falta para nos tornarmos pessoas lúcidas, capazes de compartilhar com a vida, trocando com ela, através das pessoas, todas as coisas boas que conquistamos, seja no campo do conhecimento, abrindo caminho para o progresso, como na manutenção das forças do mundo material que precisam continuar recebendo novos espíritos que precisam estagiar neste planeta.

Trabalhar em favor de si mesmo é crescer espiritualmente, se preparando para dividir as conquistas com os outros de maneira adequada e produtiva. Seu bem-estar e prosperidade em todas as áreas de sua vida só se realizará quando você entender essa realidade.

Eu estou tentando esse caminho e tenho obtido sensível melhora em tudo. Não dê poder ao mal e só acredite no bem. Assim você vencerá! Experimente e verá!

64

Sensibilidade

Analise: se você, sem causa aparente, é instável, vai da alegria à tristeza; sente dores estranhas pelo corpo; tem queda de pressão, falta de ar, arrepios; sai de casa bem e, ao entrar em algum lugar, sente-se indisposto, com vontade de sair correndo; sonolência incontrolável; é amável com alguns e com outros quer brigar; sente medo, insatisfação, não dorme direito, vai ao médico, que não encontra nenhuma doença e diz que é sistema nervoso; tem pensamentos esquisitos, sente inchaço nas mãos, na cabeça, dormência nos membros; sonha que está voando, caindo ou vê seu corpo adormecido na cama...

Se um pouco disso estiver acontecendo com você, é hora de descobrir que tem mediunidade. Quando a mediunidade aflora, é preciso aprender a lidar com as energias. Se você fosse equilibrado emocionalmente, só captaria as energias dos iluminados, das coisas boas e se sentiria muito bem. Todavia, isso não acontece com quem cultiva o negativismo e, conforme o nível de seus pensamentos, liga-se a espíritos perturbados, encarnados ou não, e absorve energias ruins que causam sintomas de doenças.

A mediunidade não é responsável por isso. Só revela os pontos fracos que é preciso equilibrar, o quanto a pessoa é descuidada consigo mesma e está dependente dos outros. Toda dependência é imaturidade, nos torna fracos, incapazes. Para crescer, precisamos desenvolver nossos potenciais, cooperar com a vida. É da lei do progresso, não há como evitar. Assim, os desafios estão sempre presentes. Quando enfrentados com coragem, a vida apoia. Mas para quem nega a própria força, julga-se incapaz, imperfeito, diz não a seu próprio crescimento, os desafios serão cada vez maiores.

A abertura da sensibilidade nos proporciona momentos de extrema felicidade. A ligação com as forças sublimes da vida traz lucidez, serenidade, força e alegria. A vida só age para nos ensinar a viver melhor.

Quando ela permite que você seja açoitado pelas perturbações, qual é o recado que ela está lhe dando? Acredito que esteja lhe dizendo: “Você é um espírito eterno, criado à semelhança de Deus. Há vida em outras dimensões além da Terra. A morte não é o fim. Os que morreram continuam a viver e a separação é temporária. Seu estágio na Terra é para aprender a lidar consigo mesmo, reavaliar suas crenças, gerenciar seu mundo interior, angariar conhecimento, amadurecer e voltar melhor ao seu mundo de origem".

É maravilhoso viver essa experiência! Meus amigos espirituais convidam você a vir conosco descobrir provas da eternidade, reconhecer o próprio valor, aprender a evoluir sem dor e acender a própria luz. Há muito eles o estão esperando. Você quer? A escolha é sua!

65

Adoção

"Tenho vontade de adotar uma criança. Pode me dizer como a espiritualidade vê a adoção?"

O que prevalece na espiritualidade é a moral cósmica, muito diferente da moral do nosso mundo. Para ela, toda criança é adotada, uma vez que os filhos são espíritos independentes que vão estar unidos aos pais físicos temporariamente.

Os pais terrenos não criaram o espírito do filho, nem lhe deram a vida. Apenas o receberam, contribuindo para que ele pudesse vestir o corpo de carne e se materializasse na Terra. Todo o processo do nascimento é gerenciado pelo invisível, sem que os pais tenham que fazer nada, a não ser aceitar.

Para a espiritualidade, não há nenhuma diferença entre um filho carnal e um adotivo. Todos são necessitados de amor, de amparo e merecem o mesmo tratamento.

Certos pais têm muito preconceito com relação à adoção, escondendo da criança sua origem. Ao descobrir a verdade, muitos jovens adotados se revoltam, sem perceber que a adoção é uma prova de amor. Eles foram escolhidos, o que não acontece com os filhos legítimos, que a vida impõe, às vezes até a contragosto, em uma gravidez indesejada. A verdade é sempre mais adequada.

Dar amor é melhor do que receber. A vontade de adotar uma criança vem da necessidade de amar. Uma criança vai apoiar esse afeto, fazendo-o desabrochar, trazendo alegria e realização.

Alguém me perguntou: "A criança que virá para mim terá uma ligação espiritual comigo de outras vidas?".

Pode acontecer por vários motivos: situações mal resolvidas de outras vidas, união por afinidade, programada antes do nascimento, para juntos apoiarem-se mutuamente em projetos evolutivos de alcance pessoal e social.

De vidas passadas ou não, o que realmente importa, o que é certo, é que essa criança será a mais adequada para viver do seu lado durante algum tempo, tal qual em um nascimento através do próprio corpo. Não importa por qual via ela veio, o que vale são as experiências que irão vivenciar, o quanto cada um pode aprender com isso durante o tempo em que estiverem juntas.

Se você quer adotar uma criança, deixe falar seus sentimentos, levando para seu convívio a criança que despertar seu interesse. Conte-lhe a verdade, mostrando que a sua escolha foi por amor. Seja firme, plantando em seu coração os valores espirituais, porque é isso que a vida espera de você. Respeite a natureza dela, ajudando-a a descobrir sua própria força, fazendo-a crescer acreditando no bem. Assim, diante da vida, você vivenciará a nobre função de mãe e se sentirá realizada como mulher.

66

Reflexão para um dia de sol

Não há nada mais agradável do que uma manhã de sol. Dá vontade de deixar-se ficar sem fazer nada, de usufruir momentos de calma e de lazer. Todos nós precisamos recarregar nossas baterias para poder enfrentar os desafios do dia a dia.

Estamos vivendo tempos de inquietação, de medo, como se algo terrível fosse acontecer de uma hora para outra. O noticiário constante de violência e corrupção em áreas que têm a função de proteger os cidadãos faz-nos sentir inseguros e desprotegidos.

Os valores éticos estão sendo tão violados que muitos perderam o senso de avaliação, acostumando-se com as exceções, sentindo-se impotentes para protestar. É preciso não se deixar envolver por essa apatia que banaliza o mal.

Nós, que acreditamos na vida, na espiritualidade, no bem como chave mestra de nossas atitudes, precisamos reagir e não entrar nessa onda de desânimo e impotência que está invadindo a maioria das pessoas.

Vamos olhar em volta e perceber que, apesar de tudo, a natureza segue se renovando a cada dia, nos oferecendo seus espetáculos cotidianos de beleza e transformação, mostrando que nada é definitivo e de um momento para outro tudo pode mudar. Depois da tempestade vem a bonança.

Estamos vivendo um momento de transição e dias melhores virão, tenho certeza.

Eu convido você, que pensa como eu, a começar a trabalhar e contribuir de forma positiva para a manifestação do bem. Feche os olhos e imagine que tudo está como deve ser. Os poderes públicos estão nas mãos de pessoas íntegras, éticas, que respeitam a vida, o ser humano, visam ao progresso e ao bem-estar de todos. Que pessoas sábias e cultas, formadoras de opinião, estão na direção dos meios de comunicação, valorizando arte e educação. Que a segurança pública é dirigida por pessoas que priorizam a prevenção em lugar da punição. Que os professores, além da erudição, exemplifiquem o bem. Que o cidadão comum assuma por inteiro suas responsabilidades familiar, profissional e social, fazendo sua parte.

Situe-se vivendo em um mundo como esse e sinta-se realizado, feliz em todas as áreas de sua vida.

Pensamentos negativos vão aparecer, dizendo que você está iludido, que nada disso é possível. Não dê importância e insista nesse exercício positivo. Pensamentos negativos criaram o caos social em que estamos vivendo. Nós podemos direcionar essa força energética para o bem e criar o mundo melhor que imaginamos. Juntos vamos apressar as mudanças para melhor.

Nesse dia lindo de sol, pense em tudo isso e acredite: a maldade é temporária e só o bem é real!

67

Vitórias e derrotas

Mais um ano está acabando. De olhos no futuro, vamos contabilizando nossas vitórias e derrotas.

Ganhando ou perdendo, o melhor é não chorar sobre o leite derramado. Lamentar as perdas, entrar na culpa, ficar se criticando só vai piorar. Já as vitórias, ainda que pequenas, aumentam a autoconfiança, nos motivam a seguir adiante.

É o momento para sentir o que vai em seu coração, descobrir como tornar-se uma pessoa mais feliz. Essa conquista é o que realmente importa.

Você vai dizer que esse poder não está em suas mãos, que depende de outras pessoas e das coisas à sua volta. Essa ilusão vem da nossa cultura, em que nos ensinaram que ser humilde é nos colocar em último lugar. Que é feio acreditar em nossa capacidade, desejar subir na vida, conquistar um lugar de destaque. Por esse motivo é que muitos vivem fora da realidade.

Nossa alma adora brilhar, mostrar eficiência, sentir-se especial, viver cercada de beleza, de conforto, de amor, de bem-estar, de alegria e de paz. Não assumimos o que somos. Com medo de não sermos aceitos, sufocamos os sentimentos para entrar nos papéis sociais, não respeitando a própria vocação. Agindo assim, a vida perde o sentido, deprime, traz insatisfação.

Esse caminho leva às doenças crônicas, à falta de motivação, ao vazio dentro do peito. A pessoa afunda no desânimo, mergulhando no fundo do poço, ou reage, entregando-se a múltiplas atividades, na tentativa de fugir e não tomar consciência da própria dor.

Se você se sente assim e não acredita que pode reverter a situação, está enganada. É hora de acreditar, começar desde já a agir.

Em primeiro lugar, jogue fora as falsas crenças que foram colocadas em sua cabeça, não só por seus pais, que cumpriam uma herança de muitos séculos, mas pela religião, que pretendia dominar pelo temor, pregando um Deus que vigia e castiga seus filhos.

Sinta o que vai em seu coração. Nós somos espíritos eternos, criados à semelhança de Deus, portanto nossa essência é divina. Dentro de nós estão preciosos potenciais e sentimentos elevados a serem desenvolvidos.

Nosso criador não nos fez sábios, mas, em sua sabedoria, deu-nos chance de sermos os artífices de nosso desenvolvimento, na conquista da própria evolução. Ao colocar em cada ser uma vocação específica, deu-nos todas as possibilidades para sermos bem-sucedidos.

O poder está em suas mãos. Só você pode entrar em seu íntimo, descobrir sua verdade, esforçar-se para fazer a parte que lhe cabe.

Descubra as riquezas do seu mundo interior e terá poder para conquistar o mundo de fora. As vitórias serão mais numerosas do que as derrotas.

68

Recados de sabedoria

Desde quando eu era adolescente, adorava colecionar frases de autores inteligentes, que fazem pensar. Por esse motivo, meus amigos espirituais costumam me trazer algumas delas, que têm me deliciado e esclarecido. Senti vontade de dividi-las com vocês. Eis algumas:

1. Nem sempre o que parece é, mas o que é sempre aparece.
2. Fale menos e observe mais. A ansiedade distorce os fatos.
3. Pensando você sente, mas nem sempre sentindo você pensa.
4. O ansioso quer estar lá na frente, mas na verdade está andando para trás.
5. Aquilo que parece ser pode não ser o que parece.
6. O ego fala na cabeça, a alma, no coração.
7. Pensar é uma arte onde a inteligência faz a diferença.
8. O pretensioso é alguém que deseja brilhar, mas apagou a própria luz.

9. O tempo cura, mas a vida testa.
10. Não espere nada dos outros. Na vida você só pode contar com você.
11. Calar é melhor do que falar o que não sabe.
12. Reverter uma situação é fazer o oposto do que está acostumado.
13. Tudo é passageiro e imutável. Por mais que você se agarre, estará sempre sendo levado pela vida.
14. Cuidado com as cobranças. Elas podem revelar o que você também não faz.
15. Errar é humano, perdoar é divino. Como nós ainda somos pouco divinos e pouco humanos, continuamos errando muito e perdoando pouco.
16. Você não é tão mau como pensa, mas pode ser bem melhor do que é.
17. Toda dependência escraviza. Você prefere ser livre ou escravo? A escolha é sua.
18. Fazer drama é colocar uma lente de aumento em seus problemas.
19. Toda proteção é boa quando não tolhe a liberdade.
20. Nem sempre o que é bom faz bem, mas o bem é sempre bom.
21. A inveja é admiração invertida.
22. Tudo que você tem e não valoriza, a vida lhe tira.
23. Quem acredita que trabalhar seja castigo tira o prazer da realização.

24. Ninguém progride sem experiência.
25. Aplaudir as vitórias dos outros é atraí-las para si.

São recados de sabedoria. Espero que gostem.

69

Natal

O Natal é uma festa de amor. Mas são tantas as regras impostas para sua comemoração que o prazer da festa se transforma em obrigação.

É preciso distribuir presentes, organizar o tempo que se torna curto. O dinheiro precisa dar para tudo e você tem de quebrar a cabeça para conseguir fazer com que ele renda o máximo. Nem sempre é fácil e pode ser que você acabe entrando no próximo ano estressado e endividado. O que deveria ser uma festa de amor acaba se tornando um pesadelo.

Será que é preciso tudo isso? Será que você tem de cumprir todas essas "obrigações" sem questionar? Não seria melhor, em vez de transformar o Natal em uma atividade comercial e trabalhosa, fazer uma comemoração menos traumática e mais dentro do seu verdadeiro significado?

Em vez de correr às lojas atrás de presentes, se esforçando para "adivinhar" o que cada um gostaria de ganhar e que caiba no seu orçamento, por que você não faz algo diferente?

Certamente não pouparia apenas o dinheiro, mas o cansaço que costuma sentir nessa época que, somado ao esforço de um ano inteiro de trabalho, acaba com seu entusiasmo.

A festa de Natal deve ser comemorada com alegria, com afeto. É a hora em que a família se reúne, troca experiências, apoio mútuo, faz planos para o futuro. São momentos de cumplicidade que fortalecem e criam laços de amor para sempre.

Você vai dizer que em sua família isso não seria possível porque o relacionamento entre vocês não tem sido bom e, quando se encontram, acabam provocando mais desentendimento.

Não é só em sua família que isso acontece. Em todos os grupos familiares há os que fazem comentários maldosos o tempo todo, que implicam com tudo, que se colocam como vítimas e só reclamam, que querem impor sua vontade e controlar tudo. Esses pontos fracos ainda são traço comum nos seres humanos.

Dentro da família, você já tem opinião formada sobre cada um, em que os pontos fracos são a tônica. Já experimentou tentar notar suas qualidades? Tanto quanto as fraquezas, elas também estão lá.

No Natal, quando a família se reunir, observe os pontos positivos de cada um, fixe-se neles e, sentindo que são verdadeiros, procure trazê-los à tona. Se alguém estiver sendo maldoso, não dê importância, mude o enfoque trazendo algo bom.

Livre-se das compras. Proponha que o presente seja uma contribuição para a ceia, por exemplo. Isso enriquecerá a ceia, facilitará o trabalho e agradará a todos, unindo-os mais. Crie um ambiente de entendimento, relembre fatos alegres, atitudes edificantes, o ambiente ficará mais leve e agradável.

Depois, tenha um excelente Natal! Você merece!

70

Fim de ano

O ano está no fim. Mesmo quando tudo está bem, dá um certo alívio pensar que um ciclo acabou, podemos virar a página e esperar por tempos melhores.

Esse alívio é ainda maior se durante este ano nos defrontamos com muitos problemas. Vendo-o findar-se, temos a impressão de que todos eles irão embora e então poderemos desfrutar de mais equilíbrio e bem-estar.

Essa trégua, ainda que momentânea, uma vez que os problemas mal resolvidos voltarão em busca de solução, nos oferece oportunidade de respirar um pouco, e se você aproveitar essa chance mais otimista, poderá até encontrar soluções adequadas, libertando-se deles.

Sempre que não temos habilidade para lidar com uma situação que nos incomoda, nos deixamos levar pela emoção, nos desequilibramos, ficamos inseguros, o medo aciona nosso instinto de defesa e agimos de forma equivocada.

A intolerância, a manipulação, o abuso do poder, a maldade, a violência são fruto da nossa ignorância, no sentido verdadeiro da palavra: não sabemos como fazer melhor. Com o decorrer do tempo, vamos colecionando problemas não resolvidos, que podem ter ocorrido em vidas passadas ou na atual.

A vida é amorosa, conhece nossas dificuldades, não pune nossas fraquezas. Deixa o tempo passar, espera até que tenhamos aprendido um pouco mais e, conforme nossas possibilidades, vai colocando cada problema em nosso caminho. Cada problema que surge traz a chance de ser resolvido e nos libertarmos dele.

Mas será preciso confiar na vida e ter coragem de enfrentá-lo. Nem sempre será fácil, porque, ao nos defrontar com algo que não tivemos capacidade de resolver, cujos fatos continuam arquivados em nosso inconsciente, sentiremos de novo as fortes emoções de então e será preciso muito esforço para, em meio a esse tumulto, encontrar a serenidade capaz de nos conduzir à libertação.

Fugir dos problemas será postergá-los, sabendo que um dia eles voltarão em busca de solução.

Aproveite a trégua, mas antes que os mesmos problemas voltem a assombrá-lo, tente resolvê-los. Reveja os que ainda o estão incomodando, analise seus sentimentos a fim de entender que atitude sua os teria provocado. A causa está dentro de você, radicada em suas crenças, seus medos e fraquezas. Só você pode identificá-la. Conseguido isso, será fácil saber como solucioná-los à medida que eles forem surgindo.

Livre dos problemas que o infelicitavam, poderá com serenidade e alegria programar as conquistas que fará daqui para a frente. Fazendo sua parte com competência, otimismo, construirá uma vida melhor. Feliz Ano Novo!

71

Ano-novo

As festas acabaram e estamos entrando em um novo ano, renovando expectativas, fazendo projetos, com vontade de melhorar nosso desempenho.

Quais são os seus sonhos e prioridades? Claro que o mais importante é ser feliz, mas como encontrar o caminho? Em um mundo tão contraditório onde, além dos desafios do cotidiano, desconhecemos o futuro, parece impossível.

Tateamos no escuro procurando saídas, pressionados pela necessidade de assumir a responsabilidade pelas nossas escolhas que, embora livres, nos forçam a recolher seus resultados.

Como viver nessa corda bamba onde a insegurança ronda nossos passos, provocando reações às vezes inesperadas, demonstrando que ainda não nos conhecemos o suficiente?

Se parece difícil, é preciso reconhecer que nunca nos faltou o auxílio dos espíritos superiores, que desde o início dos tempos têm se manifestado, revelando que estamos na escola da Terra para aprender a viver melhor.

Deixar o astral e se revestir de um corpo de carne é como vestir um escafandro e mergulhar no fundo do mar. Os movimentos tornam-se lentos, o que oferece ao espírito a percepção de certos detalhes de sua personalidade.

Isso não seria possível no mundo astral, que é constituído de matéria molecular muito mais rápida. Viver na Terra é estar em câmera lenta, e o esquecimento do passado provocado pela densidade terrestre alivia um pouco o peso dos problemas não resolvidos que carregamos em nosso inconsciente.

Os mestres espirituais ensinam que estamos vivendo aqui para melhorar nosso senso de realidade e aprender como a vida funciona a fim de melhorar nosso desempenho.

A vida na Terra nos oferece a chance de darmos um passo à frente e conquistarmos uma vida melhor. É a ignorância (o fato de não saber) que trava nosso progresso, uma vez que a essência espiritual está dentro de nós que fomos criados à semelhança de Deus.

Entrar em seu coração, prestar atenção ao que sente é ligar-se à sua essência e ficar uno com Deus. É sentir suas qualidades e expressá-las, valorizando seu potencial. É tocar sua alma e saber o que para ela é prioritário, e fazer disso o foco de seus projetos.

Dessa forma você vai dizer à vida o que deseja obter e ela, que age em favor do seu progresso, lhe dará. Terá inspiração para solucionar os desafios.

Ligando-se ao apoio divino, terá segurança, mandará embora todos os medos, porque sabe que seu espírito é eterno e a vida trabalha em seu favor. Por tudo isso seja grato e trabalhe em favor do meio ambiente deste maravilhoso planeta que lhe deu a grande chance de evoluir.